FUTILIDADE
OU O NAUFRÁGIO DO TITAN

Morgan Robertson

Tradução, notas e posfácio
Carlos Daniel S. Vieira

VERMELHO MARINHO

Título Original: *Futility, or the Wreck of the Titan*

Autor
Morgan Robertson (1861-1915)
Editor-chefe
Tomaz Adour
Tradução, posfácio e notas
Carlos Daniel S. Vieira
Preparação de Texto
Bruno Anselmi Matangrano
Revisão
Tomaz Adour
Diagramação
Marcelo Amado/Página 42
Ilustrações e capa
Dandi
Textos de orelha
Bruno Anselmi Matangrano
Quarta Capa e Apresentação da coleção
Annie Gisele Fernandes e
Bruno Anselmi Matangrano

R649f Robertson, Morgan, 1861-1915
Futilidade ou O naufrágio do Titan / Morgan Robertson; tradução e posfácio de Carlos Daniel S. Vieira. – Rio de Janeiro: Vermelho Marinho, 2014. 112 p.

ISBN: 978-85-8265-028-8

1. Ficção norte-americana. I. Vieira, Carlos Daniel S. II. Título: O naufrágio do Titan. III. Título.

CDD-813

Índice para catálogo sistemático:
1. Romance: Literatura Norte-Americana

EDITORA VERMELHO MARINHO
Rua Visconde de Silva, 60/casa 102,
Botafogo, Rio de Janeiro/RJ, 22.271-092.

VERMELHO MARINHO

ÍNDICE

COLEÇÃO
O MELHOR DE CADA TEMPO

Futilidade ou O Naufrágio do Titan inaugura a coleção *O Melhor de Cada Tempo*, dirigida por Annie Gisele Fernandes e Bruno Anselmi Matangrano. A coleção tem por objetivo trazer para o público brasileiro grandes clássicos da literatura mundial, sejam livros que há muito não são editados, que nunca foram traduzidos, ou ainda aqueles completa e injustamente esquecidos.

Entendemos o termo *clássico* em seu sentido mais amplo, isto é, obra de especial importância estética, formal ou temática, reconhecida pela crítica ou pelo público da época, mas que, por algum motivo, caiu no esquecimento ou sequer chegou a ser publicada no Brasil. Esse é o caso desta pequena novela de Morgan Robertson, escolhida para dar início a esse projeto.

Com uma narrativa fluida e sensível, *Futilidade ou O Naufrágio do Titan* é uma história de um amor impossível, mas também é um debate filosófico sobre a existência de Deus. Uma história clássica, que vem à luz pela primeira vez em português, nesta bela tradução de Carlos Daniel S. Vieira, acompanhada de notas históricas, de tradução e de vocabulário, além de um interessante posfácio.

CAPÍTULO 1

Era o mais largo navio já criado, e o mais estupendo dentre os trabalhos do homem. Em sua construção e manutenção, estavam envolvidos cada cientista, profissional e comerciante conhecidos pela humanidade. Em sua plataforma, havia um grupo de oficiais que, além de destacar-se como o melhor que a Marinha Real poderia oferecer, lograra aprovação em rígidos testes de conhecimentos sobre os ventos, as marés, as correntes e a geografia do mar. Não eram apenas marinheiros, mas cientistas. O mesmo padrão profissional aplicava-se à equipe da Sala de Máquinas. O departamento administrativo era semelhante àquele de um hotel cinco estrelas.

Duas bandas, duas orquestras e uma companhia teatral entretinham os passageiros durante as horas livres; uma equipe de médicos atendia às aflições físicas, enquanto um grupo de capelães cuidava das intempéries de ordem espiritual. Um bem treinado conjunto de bombeiros caminhava pelo navio para aliviar o eventual nervosismo de alguns viajantes – além de contribuir para o entretenimento geral com seus treinamentos diários.

Linhas de telégrafo corriam do passadiço[1] até a popa[2], na Sala de Máquinas, passando pelo cesto da gávea[3] e atingindo todas as partes do navio onde havia trabalho a ser feito. Cada fio terminava em um mostrador e um indicador móvel, contendo toda ordem e resposta requeridas para lidar com a grande massa de metal, fosse na doca ou no mar. Este aparato eliminava, em grandes proporções, os irritantes gritos roucos de comandantes e marinheiros.

Da plataforma, da Sala de Máquinas e de outra dúzia de lugares do convés, as noventa e duas comportas dos dezenove compartimentos de contenção de água poderiam ser fechadas com o simples virar de uma alavanca. Essas mesmas comportas fechar-se-iam automaticamente na presença de água. Com nove compartimentos inundados, o navio ainda flutuaria – e como nenhum acidente marítimo conhecido poderia ocasionar isto, o *Titan* era considerado uma embarcação a vapor inafundável.

Totalmente construído em aço, e exclusivamente voltado ao transporte de passageiros, Ele[4] não carregava carga combustível que pudesse ocasionar sua destruição por incêndio. E, uma vez que não mais havia a necessidade de um

---

1 O passadiço é um convés na parte superior do navio. É de lá que, costumeiramente, o comandante dirige a manopla e seus subordinados.

2 A popa é a parte traseira do navio, em oposição à proa (parte dianteira).

3 O cesto da gávea, ou simplesmente gávea, é uma área de observação, em geral próxima à ponta do mastro mais alto. No original, é chamada *crow's nest*, literalmente, *ninho do corvo*, nome pelo qual o cesto da gávea é muitas vezes traduzido.

4 Morgan Robertson chama o *Titan* frequentemente de "She" para personificá-lo, uma vez que o substantivo *ship* (navio) é feminino em língua inglesa. Nesta tradução, optamos por manter a prosopopeia, destacando-a pelo pronome "Ele", com inicial maiúscula.

largo compartimento de cargas, seus idealizadores puderam deixar de lado a base arredondada dos navios pesados para dar-Lhe a proa afiada e angular de um iate a vapor – o que também melhoraria seu desempenho em alto-mar. Ele possuía duzentos e cinquenta metros de comprimento, setenta mil toneladas de peso e setenta e cinco mil cavalos de potência. Em sua viagem inaugural, havia navegado à velocidade de vinte e cinco nós[5] por hora sobre a superfície, em face de ventos, marés e correntezas inesperadas. Em suma, era uma cidade flutuante – contendo, dentro de suas paredes de metal, tudo o que poderia minimizar os perigos e desconfortos da travessia do Atlântico: tudo o que se pode aproveitar da vida.

Inafundável. Indestrutível. E, justamente por isto, carregava apenas o número mínimo de botes salva-vidas necessários para satisfazer as leis. Estes, num total de vinte e quatro, estavam seguramente cobertos e atados às suas travas no convés superior. Se lançados, comportariam quinhentas pessoas. Ele não carregava jangadas salva-vidas, inúteis e deselegantes; mas (porque a lei assim exigia) cada uma das três mil cabines continha um colete de cortiça[6], nas alas dos passageiros, dos oficiais e da tripulação. Cerca de vinte boias espalhavam-se pelos gradis.

Uma regra de navegação amplamente difundida entre alguns capitães (embora nunca abertamente seguida) foi anunciada pela companhia de navegação do *Titan*, diante de sua absoluta superioridade: Ele navegaria

---

5 O "nó" é uma unidade de medida de velocidade comum em navegação. Aqui, o *Titan* avançou a cerca de 50 km/h.

6 Os primeiros coletes salva-vidas eram fabricados a partir de cortiça, por constituir um material barato, leve e flutuável.

à plena velocidade pela Rota do Norte[7], fosse com neblina, embaixo de sol ou sob a tempestade, por duas boas e substanciais razões. Em primeiro lugar, porque no caso de colisão com outra embarcação, a força do impacto distribuir-se-ia sobre a área mais larga, e a maioria absoluta do dano recairia sobre a outra. Em segundo lugar, porque uma colisão à velocidade média certamente destruiria a outra nau, causando danos à proa[8] do *Titan*; já uma colisão à velocidade máxima cortaria o alvo em dois, deixando no majestoso paquete[9] um arranhão tão ínfimo que poderia ser remediado com uma pintura. De qualquer modo, e optando-se pelo menor dos males, era preferível que o barco menor fosse sacrificado. Havia ainda uma terceira razão, já que a velocidade máxima permitiria que se afastassem mais rápido do perigo; e uma quarta, pois em caso de colisão com um *iceberg* (o único objeto flutuante que o *Titan* não conseguiria destruir), sua proa seria danificada apenas alguns metros a mais à plena velocidade, sem contar que no máximo três compartimentos seriam inundados – o que não importaria ao *Titan*, que ainda teria seis de sobra.

Por tudo isto, esperava-se que o *Titan* levasse seus passageiros por cinco mil quilômetros de distância, assim que lançado, com a prontidão e regularidade de um trem ferroviário. Ele quebrara todos os recordes em sua

---

7 A Rota Marítima do Norte, também chamada de Passagem do Nordeste, é uma via marítima que liga os oceanos Atlântico e Pacífico. Trata-se de um caminho particularmente difícil, já que é navegável apenas no verão, com a ajuda de navios quebra-gelos.

8 Parte dianteira de uma embarcação, em oposição à popa (parte traseira).

9 Termo náutico usado para se referir a uma embarcação de dimensões e velocidade grandiosas.

viagem inaugural, mas, até a terceira jornada, não conseguira reduzir o tempo de viagem entre Sandy Hook e Daunt's Rock[10] para menos de cinco dias. Corriam rumores não oficiais entre os dois mil passageiros, que haviam embarcado em Nova York, de que um esforço seria feito para conseguirem realizar tal façanha.

10 Os dois locais ficam, respectivamente, no estado de Kentucky (E. U. A.) e em Cork (Irlanda).

CAPÍTULO 2

Oito rebocadores levaram a grande massa até a correnteza e apontaram o nariz da embarcação para o mar aberto. O piloto na plataforma falou uma palavra ou duas, o Primeiro Comandante assoprou seu apito e puxou a alavanca, e os rebocadores se retiraram. Nas entranhas do navio, três pequenos maquinários começavam a funcionar, ativando os manetes[11] de três outros, maiores. Três hélices principiaram a girar. E o gigante, com um tremor vibratório que percorria toda sua grande estrutura, moveu-se lentamente para o mar.

Ao leste de Sandy Hook, o piloto assumiu o comando e a viagem de verdade começou. Quinze metros abaixo de seu convés, num inferno de barulho e calor e luzes e sombras, carvoeiros abasteciam os barris de onde homens seminus e com rostos semelhantes aos de monstros torturados retiravam o mineral para arremessá-lo nas oitenta bocas fumegantes das fornalhas. Na Sala de Máquinas, operários lubrificavam por dentro, por fora, através e ao longo dos metais torcidos e brilhantes, com latas de óleo e estopa, supervisionados pelos responsáveis de plantão.

11 Pequena alavanca de comando em uma máquina.

Estes, por sua vez, aprumavam seus ouvidos à procura de um ranger falho em meio ao confuso emaranhado de sons – o mínimo clique de um metal fora de tom que pudesse indicar uma chave ou porca de parafuso solta.

No convés, marinheiros arrumavam as velas triangulares nos dois mastros de modo a adicionar propulsão ao almejado recorde, enquanto os passageiros dispersavam-se conforme seus variados gostos. Alguns se sentavam em suas cadeiras reclináveis para aproveitar o ar de abril, atipicamente fresco. Outros caminhavam pelo convés, ou ouviam a orquestra no salão de música, e outros ainda liam ou escreviam na biblioteca. Alguns permaneciam em seus leitos, enjoados pelo deslizar suave e ondulado da embarcação.

Quando, enfim, os conveses ficaram vazios e os vigias já se haviam colocado a postos, ao meio-dia, a interminável limpeza do navio a vapor começava. Liderados por um Contramestre[12] de um metro e oitenta de altura, o grupo chegou até estibordo portando baldes de tinta e brochas, dividindo seu pessoal pelo parapeito.

– Gavietes[13] e escoras[14], homens! Esqueçam o parapeito – disse o Contramestre. – Senhoras, é melhor moverem suas cadeiras para trás um pouco. Rowland, desça ali. Vá pela borda de fora. Leve um ventilador; não, espere, você vai espirrar tinta. Largue o seu balde e pegue umas lixas com o cabo. Trabalhe por aqui até conseguir se livrar disso.

---

12 Cargo náutico diretamente abaixo do mestre ou Capitão.

13 Espécie de alavanca localizada na proa ou na popa, com a função de erguer objetos pesados. O mesmo termo é usado para a peça que suspende a âncora.

14 Suporte de madeira.

O marinheiro obedeceu. Era um homem magro de aproximadamente trinta anos, com barba negra e tão bronzeado que seu semblante parecia mais vigoroso do que realmente era. Tinha, entretanto, os olhos lacrimejantes e os movimentos trêmulos.

Ele desceu do anteparo e cambaleou com seu balde até o grupo de moças com quem o Contramestre falara. Sua visão repousou então sobre uma delas: uma jovem de cabelos loiros e olhos tão azuis quanto o mar, que se erguera ao perceber-se observada. Ele tropeçou, virou-se para o outro lado como quem tenta evitá-la e, erguendo a mão numa pseudossaudação envergonhada, seguiu seu caminho. Fora do campo de visão do Contramestre, apoiou-se na parede de uma cabine, ofegante, com a mão sobre o peito.

– O que foi isso? – perguntou, cansado. – Nervos gastos pelo uísque, ou a palpitação moribunda de um amor? Já faz cinco anos... e um olhar dela ainda congela o sangue em minhas veias. Um olhar dela ainda basta para trazer de volta toda a carência e o desamparo que podem levar um homem à loucura; ou a isso. – Ele olhou para suas mãos trêmulas, cheias de cicatrizes e calejadas pelo trabalho do mar, e voltou para o convés, levando as lixas.

A jovem moça ficara igualmente abalada após o encontro. Uma expressão que misturava surpresa e terror cobria agora seu rosto, tão belo e tão fraco. E sem perceber sua pseudossaudação, ela pegou em seu colo uma criança que estava atrás dela e, voltando-se para a porta do salão, correu até a biblioteca. Lá, desabou sobre uma cadeira ao lado de um cavalheiro de feições militares, que as fitara rapidamente sobre o livro e perguntava:

– Mas que cara é essa, Myra? Viu uma serpente do mar? O que foi?

– Não, George – respondeu ela em tom agitado. – John Rowland está aqui. O Tenente Rowland. Acabei de vê-lo. Está tão mudado… e tentou falar comigo.

– Quem? Aquela paixão problemática que você tinha? Nunca o vi, você sabe, e você nunca me falou muito sobre ele. Ele está na primeira classe?

– Não, ele parece ser um marinheiro comum. Está trabalhando, e usando roupas velhas e sujas. E os ossos de seu rosto estão tão salientes agora... Ele parece ter descido mesmo de nível. E tudo isso começou com…

– Com o dia em que você o dispensou? Bem, não é sua culpa, querida. Se o homem nasceu assim, uma hora ele vai se afundar. Ele guardou alguma mágoa ou rancor de você? Você parece chateada. O que ele disse?

– Eu não sei. Ele não disse nada. Sempre tive medo dele. O vi apenas três vezes desde aquele dia, e ele sempre carrega um olhar tão frígido... e ele era tão violento, tão cabeça-dura, e tão furioso naquela época. Ele me acusou de iludi-lo, de brincar com os seus sentimentos. Disse algo sobre uma lei do acaso imutável e uma balança universal, mas eu não entendi. Disse que recebemos de volta todo o sofrimento que causamos aos outros. E daí ele foi embora, furioso. Sempre imaginei que ele iria se vingar um dia, talvez roubando nossa Myra, nosso bebê.

Ela apertou a criança contra seu peito e continuou:

– Eu gostava dele no começo, até descobrir que era um ateu. Ele negou a existência de Deus para mim, George. Para mim, uma cristã professa!

– Ele com certeza teve coragem – disse o marido, com um sorriso. – E não te conhecia muito bem, eu devo dizer.

– Ele nunca mais pareceu o mesmo depois disso – concluiu ela. – Eu me sentia como na presença de algo sujo, impuro. Mas eu pensei em como seria uma glória salvá-lo diante de Deus, e tentei convencê-lo do amor de Jesus. Mas ele apenas ridicularizou tudo o que eu considerava sagrado; e disse que, embora respeitasse minha opinião, não seria hipócrita de me ganhar com uma mentira. Que preferia ser honesto comigo e com os outros, e expressar sua honesta descrença. Que ideia! Como se alguém pudesse ser honesto sem a ajuda de Deus! E, então, um dia, eu senti cheiro de álcool em sua boca. Não o habitual tabaco, mas álcool. E eu desisti dele. E foi então que ele... explodiu.

– Vamos lá e me mostre esse réprobo[15] – disse o marido, levantando-se.

Ambos foram até a porta, e a mulher espiou o convés.

– Ele é o último homem lá embaixo, perto da cabine – disse ela. O marido deu um passo para fora.

– O quê? Aquele maltrapilho, esfregando o ventilador? Então, esse é o tal Rowland da Marinha! Isso sim

15 Trata-se de um termo teológico vindo do Calvinismo, e utilizado para referir-se àqueles que estão, desde o nascimento, fadados à danação. Ao usá-lo, o marido de Myra reafirma sua crença cristã, semelhante à de sua esposa.

é uma queda na vida. Ele não perdeu o posto de oficial por má conduta? Apareceu gritando bêbado na recepção ao Presidente, se não me engano. Acho que li sobre isso.

– Eu sei que ele perdeu seu cargo e foi terrivelmente desonrado – respondeu a esposa.

– Bem, Myra, o pobre coitado é inofensivo agora. Nós vamos desembarcar em alguns dias, e você não precisa vê-lo aqui, nesse convés. Se ele não perdeu completamente o juízo, está tão constrangido quanto você. Mas agora é melhor entrar, está começando uma neblina.

CAPÍTULO 3

Durante a troca de turnos da meia noite, depararam-se com uma corrente de ar nordeste que, somada à velocidade do navio a vapor, gerou uma massa de desconfortável ar frio no convés. O mar aberto, agitando-se contra a grande massa do *Titan*, golpeava seguidamente a embarcação, a qual sentia ainda as vibrações contínuas de seu maquinário, enviando golfadas de fumaça negra para o ar, atingindo o cesto da gávea no mastro mais alto e batendo na janela da cabine do Capitão com tal força que quebraria um vidro comum. Um nevoeiro espesso, no qual o navio entrara no final da tarde, ainda o envolvia, relento e impenetrável. E contra essa barreira acinzentada de neblina, contando com dois oficiais no convés e três homens de vigia, atentos ao menor dos sinais ou ruídos, o *Titan* avançava sem diminuir sua velocidade.

À meia noite e quinze, dois homens arrastaram-se em meio à escuridão, no fundo da plataforma de vinte e quatro metros de comprimento, e gritaram ao Primeiro Tenente (que acabara de entrar no convés) o nome dos homens que os substituíram no posto. Tornando à cabine do Capitão, este, por sua vez, repetiu os nomes ao Contramestre, que os anotou no livro de registros. E, então, o homem se foi – retornou para seu café e suas "vigiadas". Em alguns minutos, outro homem aparecia, ensopado, na plataforma, informando o nome de seu sucessor no cesto da gávea.

– Rowland, você disse? – bradou o oficial, tentando vencer o ruído do vento. – Não é ele o homem que chegou ontem, completamente bêbado?

– Sim, senhor.

– Ele ainda está bêbado?

– Sim, senhor.

– Certo. Vai ter que servir. Coloque Rowland na gávea, Contramestre – disse o oficial. E, então, usando suas mãos como um megafone improvisado, gritou para Rowland:

– Você, aí no cesto!

E a resposta, estridente e clara em meio à ventania:

– Senhor.

– Mantenha os olhos abertos. Bem abertos.

– Senhor. Sim, senhor.

– Pela resposta, deve ser um homem com experiência de guerra. Eles nunca são boa coisa – resmungou baixo o oficial.

Ele assumiu sua posição na parte frontal da plataforma, onde o corrimão de madeira provia algum abrigo contra o vento, e começou a longa vigília que só teria fim quando o Segundo Tenente o liberasse, dali a quatro horas. Conversas – exceto aquelas estritamente necessárias à

sequência de trabalho – eram proibidas entre os homens do *Titan*. Além disso, seu colega de posto, o Terceiro Tenente, ficava do outro lado da grande plataforma, deixando sua posição apenas nas raras ocasiões em que ia conferir a bússola, sua única parceira em alto-mar. Abrigados pela cabine abaixo, o vigia e o Contramestre vagavam de um lado para o outro, aproveitando as duas únicas horas livres que as normas da embarcação lhes forneciam, já que o dia de trabalho terminara com a saída do vigia anterior, e, às duas horas, começaria a limpeza da entrecoberta[16], marcando o início de uma nova jornada de trabalho.

Com o toque do primeiro sino e sua repetição no cesto da gávea, seguidos do longo aviso de que "tudo está bem" do vigia, o último dos dois mil passageiros retirara-se, deixando as espaçosas cabines e átrios exclusivamente para os vigias. Enquanto isso, sonolento em sua cabine traseira, estava o Capitão – o comandante que nunca comandava, a não ser que houvesse perigo. O piloto detinha o comando na entrada e saída do porto; e os oficiais chefiavam a embarcação em alto-mar.

Dois sinos soaram e foram respondidos. Ao ecoarem os três sinos, enquanto o Contramestre e seus homens acendiam seus últimos cigarros, ouviu-se um grito, alarmante, do cesto da gávea:

– Tem algo à frente, senhor! Não dá pra desviar!

O Primeiro Tenente correu ao telégrafo da Sala de Máquinas e acionou a alavanca.

16 Termo náutico usado para designar o espaço entre as duas cobertas de um navio. Trata-se de uma espécie de forro, podendo ainda ser chamada de "entreforro".

– Diga o que você vê! – berrou ele.

– A bombordo[17]. Um navio em movimento a bombordo. Logo à frente! – gritou em resposta.

– Virar a bombordo! Virar tudo! – repetiu o Primeiro Tenente para o Contramestre no leme, que ouviu e obedeceu. Nada ainda podia ser visto da plataforma. O poderoso maquinário a vapor soltou um rangido metálico; mas, antes que o ponteiro da bússola alternasse mais três graus, a escuridão e a neblina espessas dissiparam-se nas velas quadradas de um grande cargueiro que cruzava em frente à proa do *Titan*.

– Mas que m... – grunhiu o Primeiro Tenente. – Mantenha o percurso, Contramestre! Fique sob o convés.

Dito isto, acionou uma alavanca que fechava os compartimentos, e apertou um botão com os dizeres "Sala do Capitão". E abaixou-se, esperando a colisão.

Se é que se pode chamar aquilo de colisão.

Um leve solavanco balançou a ponta do *Titan*. Deslizando diante do mastaréu[18] dianteiro e sobre o convés, veio uma chuva de pequenos mastros, velas, blocos e cordas de arame. E na escuridão a estibordo, duas formas negras foram lançadas em direções opostas – as duas metades do navio que Ele cortara. E de uma destas formas, aonde ainda brilhava a luz de uma bússola, ouviu-se, bem acima do confuso murmúrio de gritos e guinchos, uma voz marinheira:

– Que a maldição de Deus atinja vocês e essa faca gigante, seus assassinos descarados!

17 Lado esquerdo de um navio, tendo como ponto de referência a popa.

18 Pequeno mastro que geralmente prolonga-se até um mastro maior.

As formas ficaram para trás, engolidas pela escuridão. Os lamentos foram cobertos pela algazarra dos homens no *Titan*, enquanto o gigante voltava a seu curso regular. O Primeiro Tenente não havia desativado a alavanca no telégrafo, na Sala de Máquinas.

O Contramestre subiu os degraus da plataforma, à espera de instruções.

– Coloque homens nas escotilhas[19] e nas portas. Mande todos que estavam no convés até a Sala de Mapas. Diga aos vigias para descobrirem o que os passageiros sabem, e limparem a bagunça no convés o mais rápido que conseguirem.

A voz que dava essas orientações era rouca e tensa; e o "entendido, entendido, senhor" do Contramestre foi proferido em meio a arquejos.

19 Abertura no convés do navio que pode ser utilizada para se chegar ao porão da embarcação.

CAPÍTULO 4

No cesto da gávea, dezoito metros acima do convés, fora possível ver cada detalhe daquela catástrofe, do momento em que as velas superiores da maldita embarcação surgiram, neblina adentro, até o instante em que o último vestígio de destroço foi lançado ao mar por seus colegas de turno. Quando liberado de seu expediente, ao soar do quarto sino, Rowland desceu. Seus membros esforçavam-se apenas o necessário para não cair dos cordames. No parapeito, o Contramestre veio ao seu encontro:

– Informe o fim do seu turno, Rowland, e vá até a Sala de Mapas.

Na plataforma, enquanto dava o nome de seu sucessor, o Primeiro Tenente tomou sua mão, apertou-a e repetiu a ordem do Contramestre. Na Sala de Mapas, Rowland encontrou o Capitão do *Titan*, de pele pálida e comportamento intenso, sentado atrás de uma mesa. E, agrupados ao seu redor, todo o pessoal do convés, com exceção dos oficiais, vigias e Contramestres. O vigia da cabine estava lá, assim como alguns dos funcionários de baixo escalão (estocadores, carvoeiros e açougueiros) que foram acordados pelo terrível golpe daquela faca oca onde agora viviam.

Três carpinteiros permaneciam à porta, com varas de sondagem[20] em suas mãos. Cada rosto, do Capitão aos seus subordinados, portava uma feição de horror e expectativa. Um Contramestre seguiu Rowland e disse:

– O engenheiro não sentiu agitações na Sala de Máquinas, senhor; e não há inquietação alguma na Sala das Caldeiras.

– E os vigias não notaram nenhum pânico entre os passageiros. E na cabine de comando? Aquele homem voltou? – perguntou o Capitão.

Outro vigia surgiu enquanto ele falava:

– Todos dormindo na sala de comando.

Outro Contramestre entrou, trazendo a mesma notícia de tranquilidade sobre a proa. O Capitão, erguendo-se, disse:

– Muito bem. Quero que cada um de vocês venha ao meu escritório; vigias primeiro, e depois os suboficiais. Os Contramestres vigiam a porta. Que nenhum homem saia até que tenha falado comigo em particular.

E dirigindo-se a outra sala, foi acompanhado de um vigia, que, dentro em pouco, retirou-se com uma expressão de contentamento em seu rosto. Outro homem entrou e saiu; e então outro ainda, até que restou apenas Rowland. E todos os que entravam no escritório do Capitão saíam com o mesmo semblante de satisfação.

---

20 Varas rígidas e graduadas usadas para medir a profundidade da água.

Quando Rowland entrou, o Capitão, sentado à sua mesa, apontou-lhe uma cadeira e perguntou-lhe pelo nome.

– John Rowland – ele disse.

O Capitão tomou nota, e prosseguiu:

– Até onde sei, você estava na gávea quando esta infeliz colisão ocorreu.

– Sim, senhor. E eu informei sobre o navio assim que o vi.

– Você não está aqui para ser acusado. Você está ciente, é claro, que nada poderia ter sido feito para evitar essa terrível calamidade, ou para salvar alguma vida após o acidente.

– Nada poderia ser feito à velocidade de vinte e cinco nós por hora em que estávamos, em meio à neblina, senhor.

O Capitão lançou-lhe um olhar arguto, e franziu o rosto:

– Vamos discutir a velocidade do navio, meu bom homem. Ou mesmo as regras da companhia. Você encontrará, quando for receber seu pagamento em Liverpool, um envelope em nome da empresa que conterá mil libras em notas. Isto, você receberá em troca de seu silêncio sobre a colisão; uma colisão cuja menção causaria apenas constrangimento, e não ajudaria a ninguém.

– Ao contrário, Capitão. Eu não vou receber o envelope. E irei falar sobre esse assassinato em massa assim que tiver oportunidade!

O Capitão recostou-se e encarou aquele rosto debochado, aquela feição trêmula de marinheiro, que tão pouco combinava com o discurso ameaçador que proferira. Sob circunstâncias comuns, ele apenas o enviaria para os oficiais no convés. Mas esta não era uma circunstância comum. Nos olhos lacrimosos, havia um traço de choque e horror e indignação sincera; e, na sua fala, o sotaque era aquele de um homem educado. As consequências que poderiam recair sobre o Capitão e sobre a companhia – e que, apenas, tornavam-se mais complicadas pelos esforços em evitá-las – eram tão extremas que detalhes como insolência e diferença hierárquica não deveriam ser levados em conta. Ele deveria encarar e reprimir esta chaga em terra firme, de homem para homem. E em voz baixa, perguntou:

– Você está ciente, Rowland, que você estará sozinho? Que será desacreditado, perderá sua vaga e fará inimigos?

– Estou ciente de mais do que isso. Eu sei o poder que o senhor tem como Capitão. Eu sei que poderia mandar me prender por qualquer ofensa que quisesse imaginar. E eu sei que até mesmo um registro em seu diário de bordo, ainda que inconsistente e sem testemunhas, seria suficiente para me dar uma prisão perpétua. Mas eu também sei algo sobre Direito Marítimo. Sei que da minha cela, eu poderia mandar você e seus Primeiros Tenentes para a forca.

– Você está enganado em seus conceitos. Eu não poderia levá-lo a uma sentença baseado apenas num registro em meu diário de bordo. E você não poderia, da cadeia, me causar mal. O que é você, se me permite a pergunta: um ex-advogado?

– Um graduado de Anápolis[21]. Temos a mesma técnica profissional.

– E você tem interesses em Washington?

– Nenhum.

– E qual é seu objetivo em defender essa posição? Se você não poderia ganhar nada com isso, e certamente não conseguiria fazer mal a ninguém?

– Porque assim eu conseguiria fazer ao menos um ato bom em minha vida inútil. Eu conseguiria despertar um sentimento de raiva tão forte em ambos os países que destruiria este massacre arbitrário de vidas e propriedades, em prol apenas da velocidade. E salvaria as centenas de pequenas embarcações tiradas de seus donos; e as embarcações tiradas de suas famílias.

Ambos os homens estavam agora de pé. Enquanto Rowland dizia estas últimas palavras, com olhos brilhantes e punhos fechados, o Capitão andara até ele.

– Um resultado realmente possível, mas cuja concretização está além do poder de qualquer um de nós dois. O montante que citei é o suficiente? Você poderia preencher uma vaga permanente em minha tripulação?

– Eu poderia preencher a mais alta das vagas. E sua companhia não é rica o suficiente para me comprar.

– Você parece ser um homem sem ambição. Mas deve ter seus desejos...

---

21 Trata-se da capital do estado americano de Maryland, conhecida por suas escolas de navegação.

– Comida, roupa, abrigo... e uísque! – disse Rowland com um riso amargurado de autocompaixão. O Capitão pegou um frasco e dois copos de uma bandeja e disse, ao colocá-los diante dele:

– Aqui está uma de suas ambições. Pode encher.

Os olhos de Rowland reluziram enquanto ele tomava um gole de um copo cheio. O Capitão fez o mesmo.

– Vamos beber juntos, Rowland. Celebrando nosso acordo – e virou o copo. Então Rowland, que esperara, disse:

– Eu prefiro beber sozinho, Capitão. – E virou o copo de uísque de uma só vez.

O rosto do Capitão enrubesceu-se diante da afronta, mas ele tentou controlar-se.

– Vá para o convés, Rowland. Agora. Conversaremos novamente antes de chegar ao nosso destino. Até lá, eu peço, não mando, mas peço, que você não sustente nenhuma conversa inútil com seus companheiros de bordo sobre esse assunto.

Ao Primeiro Tenente, quando liberado pelo soar do oitavo sino, o Capitão disse:

– Ele é um caso perdido com um lapso momentâneo de consciência. Mas ele não pode ser comprado ou eliminado: ele sabe demais. Mas eu já encontrei seu ponto fraco. Se estiver fora de si antes de desembarcarmos, seu testemunho é inútil. Mantenha-o "abastecido" enquanto eu falo com o médico do navio. Vou pesquisar sobre algumas drogas.

Quando Rowland saiu para seu café da manhã ao sétimo sino, encontrou um pequeno frasco no bolso de sua jaqueta. Ele sentiu-a, mas não a tirou na frente de seus companheiros.

– Bem, Capitão – pensou ele –, você é realmente o canalha mais infantil que já escapou da lei. Vou guardar esse uísque envenenado como evidência.

Mas não havia veneno naquela bebida – como ele descobriria mais tarde. Era uísque dos bons – dos melhores – para aquecer seu estômago enquanto o Capitão conduzia sua pesquisa.

CAPÍTULO 5

Naquela manhã, um incidente bastante peculiar afastou os pensamentos de Rowland dos infortúnios da noite anterior. Algumas horas de sol foram o suficiente para trazer os passageiros ao convés como abelhas a uma colmeia, deixando a esplanada tão rica de cores e de vida quanto as ruas de uma cidade. A tripulação estava ocupada, esfregando o convés; e Rowland, com um esfregão e um balde, limpava a tinta branca da proa, numa pequena área cujo acesso estava temporariamente restrito. Uma garotinha correu para lá, rindo e gritando, e agarrou-se às pernas do marinheiro, enquanto pulava num excesso de alegria:

– Eu *fuzi*. Eu *fuzi* da *mamã*!

Após secar as mãos nas calças, Rowland pegou a menina no colo, ternamente, e disse:

– Bem, garotinha, você deveria correr de volta pra sua mamãe. Você está em má companhia.

Os olhos inocentes sorriram, brincalhões. E, então, (numa brincadeira tola que apenas os solteirões são capazes de fazer) Rowland segurou-a sobre o púlpito, ameaçando:

– Será que eu devo te jogar aos peixes, mocinha? – perguntou, enquanto suas feições se amaciavam. A menina soltou um gritinho de susto, e naquele instante uma jovem apareceu. Ela correu até Rowland com olhos de tigresa, tomou-lhe a menina, encarou-o por um instante com as pupilas dilatadas e desapareceu, deixando para trás um homem hesitante e sem forças que grunhia baixo:

– É a filha dela. Aquele olhar maternal. Ela é casada... casada!

Ele voltou a trabalhar, e sua pele bronzeada de marinheiro estava quase tão branca quanto a tinta que ele esfregava.

Dez minutos depois, o Capitão, em seu escritório, ouvia as reclamações de um casal bastante exaltado.

– E o senhor diz, Coronel – falou o Capitão –, que esse tal de Rowland é um velho inimigo?

– Ele é (ou, pelo menos, foi) um admirador rejeitado pela Sra. Selfridge. Isso, e o fato dele ter insinuado que viria a vingar-se. Minha esposa tem certeza do que viu, e creio que esse homem deveria ser preso.

A mulher questionou veementemente, enquanto abraçava a criança:

– Por que, Capitão? Você deveria tê-lo visto. Estava prestes a largar Myra quando eu cheguei. E tinha aquele olhar assustador no rosto. Era horrível. Não vou conseguir dormir mais um minuto nesse navio, tenho certeza!

– Peço que não se incomode, madame – disse o Capitão, em tom solene. – Eu já soube dos antecedentes dele: que se desgraçou e caiu de cargo dentro da Marinha. Mas, como já participou de três viagens conosco, imaginei que sua disposição para navegar dava-se por seu vício pelo álcool, o qual não conseguiria satisfazer sem dinheiro. Mas, conforme você afirma, ele pode estar seguindo a senhora. Há alguma chance deste homem saber antecipadamente de suas intenções em pegar este navio?

– E por que não? – exclamou o marido. – Ele na certa conhece alguns dos amigos da Sra. Selfridge

– Sim, sim – disse ela, ansiosa. – Já o ouvi falar disso várias vezes.

– Então está claro – sentenciou o Capitão. – Se a senhora concordar em testemunhar contra este homem, madame, eu o colocarei imediatamente atrás das grades por tentativa de assassinato.

– Faça isso, Capitão! – exclamou ela. – Eu não conseguirei sentir-me segura enquanto ele estiver livre. É claro que irei testemunhar!

– O que quer que faça, Capitão – declarou o marido –, durma sabendo que eu colocarei uma bala na testa deste infeliz, caso ouse meter-se comigo ou com os meus novamente. E daí o senhor poderá também colocar-me atrás das grades.

– Eu cuidarei disto, Coronel – respondeu o Capitão, enquanto os acompanhava para fora de seu escritório.

No entanto, já que uma acusação de assassinato não é, necessariamente, o melhor meio de desacreditar um homem; e como o Capitão não acreditava que o homem que o desafiara seria capaz de matar uma criança; e como esta seria uma acusação difícil de ser provada; e porque tudo isso causaria muitos problemas e aborrecimentos – por todas estas razões, o Capitão não ordenou a prisão de John Rowland. Ao invés disso, apenas ordenou que, por hora, ele deveria ser transferido para a entrecoberta, longe do campo de visão dos passageiros.

Rowland, surpreso por sua transferência do desagradável esfregão para um "serviço de soldado" (o de pintar boias salva-vidas), era perspicaz o suficiente para saber que era vigiado de perto por um dos Contramestres. Infelizmente, ele não foi perspicaz o suficiente para perceber os primeiros sintomas de intoxicação – o que pode ter alegrado seus ansiosos superiores que lhe trouxeram mais uísque.

Como resultado ao saudável ar marinho, seus olhos brilhavam e sua voz estava mais firme. Quando se apresentou para o posto de vigia às quatro horas, o Capitão e o Contramestre conversavam na Sala de Mapas:

– Não se preocupe, Capitão. Não é um veneno. Ele está quase na fase do terror, agora. Ele vai ver cobras, fantasmas, gnomos, naufrágios e todo tipo de coisa. Vai levar duas ou três horas para fazer efeito. Apenas coloque isso no copo dele quando a proa a bombordo estiver vazia.

Houve uma briga na proa a bombordo (onde Rowland estava) na hora do jantar. Não vale a pena descrever a tal luta, mas deve-se ressaltar que o copo de chá de Rowland, que não estava envolvido, foi derrubado de sua mão antes que o homem tivesse tomado o terceiro gole. Ele buscou por um copo substituto e terminou sua refeição. Então, evitando tomar parte na discussão aberta de seus colegas sobre a briga, escapou para sua cabine e fumou até o bater dos oito sinos, quando se juntou aos demais.

CAPÍTULO 6

– Rowland, assuma o turno na plataforma a estibordo – disse o grande Contramestre.

– Não é meu posto, Contra[22].

– São ordens da plataforma. Suba lá.

Rowland resmungou, como todo marinheiro ao deparar-se com uma ordem de que não gosta, mas obedeceu. O homem que ele substituiu disse seu nome e desapareceu. O Primeiro Tenente, que perambulava pela plataforma, desejou "tenha uma boa vigia" e voltou a seu posto. Foi então a vez do silêncio e da solidão do mar noturno tomarem conta, intensificados pelos zumbidos dos maquinários e aliviados somente, vez ou outra, pelos distantes sons de risadas e músicas do anfiteatro. Pois o vento oeste fresco, vindo junto ao Titan, trazia quase uma calmaria ao deque do navio; a densa neblina sob o céu estrelado era tão gélida que o último dos passageiros tagarelas já escapara para o interior do navio para a luz e para a vida.

Quando os três sinos (ou seja, nove e meia) haviam soado, e Rowland respondera o habitual "está tudo bem",

22 Maneira informal de referir-se ao Contramestre. No original, Rowland chama o "boatswain" de "boats'n".

o Primeiro Tenente deixou seu posto e aproximou-se dele, dizendo:

– Rowland, ouvi dizer que você já comandou antes.

– Não consigo imaginar como descobriu isso, senhor. Não costumo mencionar o fato.

– Você disse ao Capitão. Imagino que além de Anápolis, você tenha concluído a Escola Real de Navegação[23]. O que você acha das teorias de Maury[24] sobre correntezas?

– Elas parecem plausíveis – respondeu Rowland, inconscientemente omitindo o "senhor" –, mas acho que na maioria dos casos práticos, elas provaram-se erradas.

– Sim, eu acho o mesmo. Você conhece outra de suas ideias, a de detectar a presença de gelo, dentre neblinas, pela diminuição de temperatura ao aproximar-se?

– Não conheço nenhum resultado aplicável. Mas parece ser apenas uma questão de cálculo, e de tempo para calcular. Frio é calor negativo, e pode ser tratado como energia radiante, diminuindo ao quadrado da distância.

O oficial calou-se por um momento, olhando adiante. Então, soltou um "Sim, é isso mesmo", e voltou ao seu lugar.

– Deve ter um estômago de ferro – murmurou o Primeiro Tenente para si mesmo –, ou então o Contramestre drogou a bebida da pessoa errada.

Rowland olhou de relance para o oficial que se afastava, com um sorriso cínico. E pensou:

23 Operante entre 1873 e 1998, a *Royal Naval College* (Greenwich, Londres, Reino Unido) foi uma das mais tradicionais escolas de navegação.

24 Matthew Fontaine Maury (1806-1873) foi um dos primeiros cartógrafos e oceanógrafos a preocupar-se com o estudo das correntes marítimas.

– Queria saber por que ele vem até aqui embaixo falar de navegação com o vigia no mastro do traquete[25]. E por que eu estou aqui, fora do meu turno? Isso tem algo a ver com aquela garrafa?

Ele voltou aos seus passos, de uma ponta à outra na plataforma, retornando também aos pensamentos sombrios que foram interrompidos pelo oficial.

– Por quanto tempo – pensou – sua ambição e amor pela profissão durariam depois de ter conhecido, conquistado, e perdido a única mulher no mundo para si? Por que isso... esse fracasso em manter o amor de uma dentre as milhares de mulheres que vivem e amam pode pesar mais do que todas as dádivas da vida, e transformar a natureza de um homem num inferno, consumindo-o? Com quem ela se casara? Alguém, provavelmente um estranho, muito tempo depois de me abandonar. Um estranho que chegou a ela com algumas características físicas e psicológicas que a agradaram, e que não precisava amá-la. Suas chances seriam melhores sem isso. E que entrou fria e facilmente em meu paraíso. E eles dizem que há um "Deus que faz bem todas as coisas", e que há um céu onde todos os nossos desejos não satisfeitos são realizados, desde que tenhamos a fé necessária nisso. Ou seja, se é que isso quer dizer algo, após uma vida inteira de fidelidade, durante a qual não ganhei nada além de seu medo e desprezo, eu posso ser recompensado pelo amor e pela companhia de sua alma. Eu amo sua alma? A sua alma tem beleza de rosto e o corpo e o porte de uma Vênus? A sua alma tem olhos azuis profundos, e uma voz doce e musical? Tem inteligência, e graça, e

25 Chama-se traquete a maior vela da proa de uma embarcação.

charme? Tem montes de compaixão diante do sofrimento? Essas são as coisas que eu amava. Eu não amo sua alma, se é que ela tem uma. Eu não quero sua alma. Eu a quero. Eu preciso dela.

Ele parou de andar e recostou-se contra a grade da plataforma, com os olhos fixos na neblina adiante, enquanto falava seus pensamentos em voz alta. O Primeiro Tenente ouviu por um momento, e, depois, retirou-se.

– Está fazendo efeito.

Então, o Primeiro Tenente pressionou o botão que chamava o Capitão, assobiou o chamado convencional para o Contramestre, e voltou a observar o vigia drogado, enquanto o Terceiro Tenente liderava o navio.

O chamado do Contramestre é um ruído tão comum no convés que poderia facilmente passar despercebido. Mas naquele momento, o som afetou outra pessoa além do Contramestre. Um pequeno vulto esgueirou-se pela passagem do camarote do salão, com olhos bem abertos e fixos, e chegou ao convés, sem ser visto pelo vigia. Os pés nus e bem brancos não sentiram frio ao percorrer o convés vazio, e a pequena figura chegou ao baixo convés ao mesmo tempo em que o Capitão e o Contramestre alcançavam a plataforma.

– E eles falam – continuava Rowland, observado pelos três – do amor maravilhoso de um Deus piedoso, e então colocam Myra Gaunt em meu caminho. Tem alguma piedade pra mim nisso tudo? Como parte do grande princípio evolutivo, que cria a vida de uma raça à custa de um indivíduo, deve ser consistente com a ideia de Deus, uma causa primeira. Mas por acaso o indivíduo que morre porque não era apto a sobreviver deve algum amor e gratidão a esse Deus? Claro que não! Na possibilidade d'Ele existir, eu O nego! E diante da completa falta de evidências de que Ele exista, eu afirmo a integridade da causa e efeito, o que é suficiente para explicar o Universo, e a mim. Um Deus piedoso... um Deus piedoso, amável e justo – e dito isto, explodiu em gargalhadas grotescas, que pararam assim que colocou as mãos sobre o estômago e, então, sobre sua cabeça.

– O que há de errado comigo? – perguntou. – Sinto como se tivesse engolido um carvão quente. E minha cabeça; e meus olhos. Eu não consigo ver.

A dor o deixou por um instante, e a gargalhada voltou.

– O que há de errado com a âncora d'estibordo? Está se movendo. Está mudando. É um... o quê? O que diabos é isso? As pontas; e o molinete[26]; e as âncoras de reposição... estão todos vivos! Estão todos se movendo!

O que ele viu seria horrendo para uma mente saudável, mas apenas levou este homem a uma crescente e incontrolável alegria. As duas grades que levavam à haste erguiam-se sobre ele num sinistro triângulo; e dentro dele, os acessórios de convés que mencionara. Os molinetes tornaram-se um ser horrível, negro e proibido. Os dois barris tornaram-se os olhos opacos de um monstro indescritível, cujos cabos e correntes haviam se multiplicado em inúmeras pernas e tentáculos. E esta coisa estava rastejando dentro do triângulo. Os gavietes das âncoras eram serpentes de várias cabeças que dançavam sobre seus rabos, e as próprias âncoras contorciam-se na

26 Dispositivo rotatório que sustenta a âncora.

forma de imensas lagartas cabeludas, cujos rostos apareciam nas duas torres de lanterna brancas, brilhando e encarando-o. Com suas mãos na grade da plataforma, e lágrimas rolando por seu rosto, ele riu da estranha aparição, mas não falou; e os três, que silenciosamente aproximaram-se, saíram e deram lugar à pequena e pálida figura que era traída pelas gargalhadas, indo do convés à escadaria que conduzia ao convés superior.

A fantasmagoria desapareceu em uma parede de neblina acinzentada, e Rowland encontrou sanidade o suficiente para balbuciar:

– Eles me drogaram.

Mas, após um instante, ele ficou na escuridão de um jardim – um que ele já conhecia. À distância, via-se as luzes de uma casa. E, perto dele, estava uma jovem moça, que se virou e correu, fugindo enquanto ele a chamava. Por um esforço supremo de força de vontade, Rowland conseguiu trazer-se de volta ao presente, ao convés onde estava, e ao seu trabalho.

– Por que isso tem de me aterrorizar ao longo dos anos? Bêbado naquela época... e bêbado agora. Ela poderia ter me salvado, mas preferiu me condenar.

Ele lutou para se mover, mas pôs-se paralisado e agarrou-se à grade, enquanto os três observadores aproximavam-se novamente, e a pequena figura branca escalava os degraus da escada.

– A sobrevivência do mais apto – divagou ele. – Causa e consequência. Isso explica o universo... e a mim.

Levantou suas mãos e falou alto, como se estivesse dirigindo-se a um conhecido invisível na escuridão.

– Qual será o último efeito? Aonde neste equilíbrio universal, sob a lei de correlações das energias, irá minha gasta quantia de amor ser reunida, e pesada, e creditada? O que a colocará na balança, e aonde? Myra... Myra... – ele chamava. – Você sabe o que perdeu? Você sabe, em sua bondade, e pureza, e verdade, o que você fez? Você sabe...

A estrutura onde ele estava havia se esvaído, e ele parecia estar em nada além de um universo mudo e cinza. Sozinho. E, no vasto e ilimitado vazio, não havia som, ou vida, ou mudança. E em seu coração, não havia medo, ou surpresa, ou qualquer tipo de emoção exceto uma: a impronunciável fome de um amor fracassado.

Ainda assim, parecia que não era John Rowland, mas um alguém, ou outra coisa qualquer. Pois ele se viu, distante, a milhões e bilhões de quilômetros de distância, e ouviu sua própria voz, chamando. Fraca, embora nítida e preenchida pelo desespero concentrado de sua vida, chamava: Myra... Myra.

Houve um chamado em resposta. E, procurando pela segunda vez, notou a mulher que amava na outra ponta do espaço. Seus olhos carregavam carinho, e sua voz trazia a súplica que ele apenas conhecera em sonhos.

– Volte... – ela chamava. – Volte pra mim.

Mas parecia que os dois não conseguiam se entender, pois de novo ele ouvia o grito desesperado: – Myra, Myra, onde está você? – e novamente a resposta: – Volte. Volte.

Distante, à direita, surgiu um fraco ponto flamejante, que cresceu em tamanho. Aproximava-se, e ele o viu sem emoção alguma. E quando procurou novamente pelos dois, eles haviam sumido, e em seus lugares estavam duas nuvens nebulosas que viraram inumeráveis pontos de luz brilhante e colorida, girando, encaixando-se, até preencherem todo o espaço. No centro deles, uma luz mais larga, branca, aproximava-se e crescia, em sua direção.

Rowland ouviu um som crescente e, ao procurar por ele, viu do outro lado um objeto amorfo e negro. Ele também crescia em tamanho, vindo em sua direção. Pareceu a Rowland que essa luz e escuridão eram o bem e o mal de sua vida, e observava para ver qual destes chegaria a ele primeiro. Não sentiu surpresa ou remorso ao perceber que a escuridão estava mais próxima. E ela veio, mais e mais perto, até acertar em cheio.

– O que temos aqui, Rowland? – disse uma voz. Instantaneamente, os pontos em movimento desbotaram-se; o universo cinzento tornou-se novamente a neblina; a luz flamejante, a luz no céu; e a escuridão amorfa, o Primeiro Tenente. A pequena figura branca, que disparara pelos três observadores, estava aos seus pés. Embora alertada do perigo por seu subconsciente, ela saíra de perto da proteção de sua cama para ir até o antigo amado de sua mãe: o forte, fraco, degradado, desgraçado, exaltado, perseguido, drogado e desesperançado John Rowland.

Com a prontidão de um homem que é despertado de um cochilo e responde a uma pergunta, ele disse, gaguejando pelo efeito da droga que se dissipava:

– É a filha de Myra, senhor. Está dormindo.

Ele pegou a menina vestida de pijama, que gritou ao acordar, e envolveu com sua jaqueta o frio corpinho.

– Quem é Myra? – perguntou o oficial em um tom de provocação que também carregava desgosto e desapontamento. – Você também estava dormindo.

Antes que Rowland pudesse responder, um grito cortou o ar, vindo direto do cesto da gávea:

– Gelo! Gelo à frente! *Iceberg*! Logo abaixo da proa!

O Primeiro Tenente correu meia nau; e o Capitão, que lá estava, correu até o telégrafo da Sala de Máquinas, e desta vez a alavanca foi acionada. Mas, em cinco segundos, a proa do *Titan* começou a levantar-se, e pôde-se ver, de uma ponta a outra através da neblina, um campo de gelo que se erguia por trinta metros de altura. A música no anfiteatro parou, e entre a babel[27] de gritos e choros, entre os sons de arranhados e batidas no gelo, Rowland ouviu a voz desesperada de uma mulher gritando, na base da escadaria da plataforma:

– Myra... Myra, onde está você? Volte!

---

27 O autor estabelece aqui uma analogia com a Torre de Babel bíblica, presente no livro do Gênesis que teria sido uma gigantesca torre, construída pelos homens com o objetivo de equiparar-se a Deus. Este, em retaliação, destruiu o colossal monumento, castigando seus idealizadores.

CAPÍTULO 7

Setenta e cinco toneladas acelerando pela neblina a uma velocidade de quinze metros por segundo: um peso morto, colidindo contra o *iceberg*. Se o impacto fosse contra uma parede perpendicular, a resistência elástica das placas flexíveis teria prevalecido sobre aquele instante crucial, trazendo aos passageiros não mais do que um grande sacolejo; ao navio, não haveria perda maior do que o choque de sua proa e a morte de um homem – o vigia. O *Titan* teria, então, recuado um pouco e, embora de cabeça um pouco mais baixa, terminado a viagem a um tempo reduzido, um pouco afetado financeiramente e enormemente ferido na propaganda sobre sua indestrutibilidade. Mas uma pequena superfície, possivelmente formada pela recente virada do bloco de gelo, recebeu o *Titan*; e com sua quilha cortando firmemente o gelo, e seu grande peso recaindo a estibordo, Ele ergueu-se do mar, cada vez mais alto – até que os propulsores na popa começassem a se mostrar. Então, numa subida vertical e espiralada, Ele inclinou-se, tombando para o lado e caindo sobre o mar.

Os parafusos de pressão que prendiam doze caldeiras e três motores de expansão tripla, despreparados para suportar tal peso de um piso perpendicular, soltaram-se; e por um mar de escadas, grades e anteparas, uma massa gigantesca de aço e ferro caía, perfurando os lados do navio, ainda que escorados por uma parede maciça de gelo. As salas de caldeiras e de motores encheram-se de um vapor escaldante, trazendo uma morte rápida (embora torturante) a cada um dos cem homens de plantão no departamento de engenharias.

Em meio ao barulho do vapor que escapava e dentre o zunido de quase três mil vozes humanas e ruídos sibilantes de ar gélido, o *Titan* moveu-se lentamente para trás e lançou-se ao mar, flutuando sobre o próprio flanco. Era um monstro marinho, agonizando sobre sua última ferida.

Um outeiro[28] de gelo sólido, em formato piramidal, moveu-se para estibordo conforme o vapor subia, projetando-se ao longo do convés superior e derrubando, dobrando e esmagando, em sucessão, cada um dos pares de polias. Botes eram esmagados, arrancando as roldanas e os ganchos de fixação enquanto o navio era esvaziado. Por fim, a grande massa de gelo cobriu a pilha de destroços, tampando-os juntamente com os balaústres[29] quebrados da plataforma. E por esta estrutura, ainda tonto por ter sido arrastado por um raio de setenta metros, esgueirava-se Rowland, sangrando por um corte na cabeça e trazendo consigo a pequena menina, agora assustada demais para chorar.

---

28 Pequeno monte ou colina.

29 Colunas ou pilares que sustentam um corrimão.

Por um esforço de sua vontade, ele ergueu-se e observou. Para sua visão, distorcida e desfocada pela droga que havia tomado, o navio era pouco mais do que uma mancha naquele nevoeiro esbranquiçado pela luz da lua. Pareceu-lhe ainda que conseguia ver homens escalando e trabalhando nas polias superiores; e o bote mais próximo (o de número 24) parecia estar balançando pelas polias. Em seguida, o nevoeiro fechou-lhe a visão, apesar da posição da popa ainda ser indicada pelo bramido de vapor de seus pulmões de ferro. Mas quando até o bramido cessou, deixando para trás o horrível zumbido e dando lugar a um silêncio profundo – neste instante, Rowland sabia que o holocausto estava completo; que o invencível *Titan*, com quase toda sua tripulação incapaz de subir andares e tetos verticais, estava abaixo da superfície do mar.

Mecanicamente, suas faculdades entorpecidas haviam recebido e registrado os últimos acontecimentos; ele não poderia compreender, plenamente, o horror por trás de tudo isto. No entanto, sua mente estava atentamente ligada ao perigo da mulher cuja chamativa voz ele ouvira e reconhecera: a mulher de seu sonho; a mãe da criança em seus braços. Ele rapidamente examinou os destroços. Nem um bote sequer estava intacto. Rastejando até a beira da água, ele clamou com todo o poder de sua fraca voz por alguma embarcação invisível, além do nevoeiro, para que voltassem e salvassem a criança; e para que buscassem uma mulher que há pouco estava no convés, sob o passadiço. Rowland gritou o nome desta mulher (o nome dela que ele conhecia), encorajando-a a nadar, caminhar, flutuar em destroços e responder a ele até que a encontrasse. Não houve resposta. E quando a voz do homem tornou-se rouca e inútil, e seus pés estavam dormentes do contato com o gelo, ele retornou aos destroços; estava esmagado pela mais negra desolação que possuíra, até então, em sua infeliz vida. A garotinha chorava, e ele tentava acalmá-la.

– Eu quero a *mamã* – gemeu ela.

– Corre, querida, corre – respondeu ele, apressada e amargamente. – Eu também a quero... mais do que quero o Paraíso, embora ache que não tenho muitas chances com nenhum dos dois. Você está com frio, baixinha? Nós vamos entrar, e vou fazer uma casa para nós.

Ele tirou seu casaco e carinhosamente envolveu a pequena figura com ele, dizendo:

– Não tenha medo.

Colocou-a no canto da plataforma, que repousava ao seu lado. Conforme fez isso, a garrafa de uísque caiu de seu bolso. Parecia que haviam passado décadas desde que ele a encontrara, e foi necessário um grande esforço de raciocínio antes que se lembrasse de seu pleno significado. Então ele se levantou para jogar a garrafa ao gelo, mas parou.

– Vou ficar com isso – ele murmurou. – Pode ser seguro em pequenas quantidades, e nós podemos precisar dele no meio desse gelo. Ele colocou-o em um canto; em seguida, removendo a cobertura de lona de um dos barcos destruídos, pendurou-a sobre os dois lados da plataforma, rastejou para dentro e vestiu o casaco de proteção que ali estava – um modelo padrão, planejado para um homem maior do que ele – e abotoou-o em torno de si e da menina. Deitaram-se ambos sobre a madeira dura. Ela ainda chorava, mas logo o calor do corpo de Rowland a fez se calar e dormir.

Amontoados em um canto, ele se entregou ao tormento de seus pensamentos. Duas imagens alternadamente tomavam sua mente: uma, a da mulher de seus sonhos, pedindo a ele que voltasse, a qual sua memória se agarrava como a um oráculo; e outra, desta mesma mulher, fria e sem vida nas braças profundas do mar. Ele ponderou sobre as possibilidades. Ela estava próxima à escadaria da plataforma, ou talvez até sobre ela. E o barco nº 24, que ele tinha quase certeza de estar sendo arrastado quando ele olhava, penderia para perto dela enquanto tudo balançava. Ela poderia subir nele e se salvar – a menos que os outros náufragos, no ímpeto de abrir portas e escotilhas, inundassem o barco. E, em sua agonia de espírito, ele amaldiçoou estes outros coitados, preferindo vê-la, em sua mente, como a única passageira no barco, com o vigia do convés para puxá-la à segurança.

A potente droga que tomara ainda agia; e isso, unido à melodia do mar em movimento, às ondas estalando e crepitando ao seu redor – a voz do próprio *iceberg* – acabaram por vencê-lo, e ele dormiu para acordar apenas com a luz do dia, e com seus membros rígidos, dormentes, quase congelados.

E por toda a noite, enquanto dormia, um barco com o número 24 em sua proa, puxado por marinheiros robustos e dirigidos por oficiais condecorados, dirigira-se para Southern Lane – a rodovia do tráfego marítimo. E, agachada sobre os panos da popa deste navio, estava uma mulher que murmurava e rezava, ocasionalmente gritando e chorando, pelo seu marido e pela sua bebê. Não queria ser consolada, mesmo quando um dos oficiais disse-lhe que sua filha estava segura sob os cuidados do bravo marinheiro John Rowland, e que certamente estariam no outro barco. Ele não lhe disse, é claro, que a menina estava inconsciente, enquanto Rowland gritava do *iceberg*; ou tampouco que, se ela ainda estava com o marinheiro, estavam ambos ali – largados.

CAPÍTULO 8

Rowland, cheio de dúvidas, bebeu uma pequena quantidade de álcool e, envolvendo a ainda dormente criança em seu casaco, saiu para o gelo. A névoa havia se dissipado; e o deserto mar azul espalhava-se até o horizonte. Atrás dele, havia gelo – uma montanha de gelo. Ele subiu a elevação e olhou para um precipício com mais de trinta metros de altura. À sua esquerda, o gelo formara uma queda ainda mais íngreme do que aquela atrás dele; e à direita, viam-se montes e picos mais altos, intercalados por vários abismos e cavernas que, junto às brilhantes cachoeiras, cobriam a paisagem naquela direção. Não havia, em lugar algum, uma vela ou fumaça de vapor para animá-lo, e ele refez seus passos. Quando estava na metade do caminho até os destroços, viu um objeto branco que se aproximava, vindo da direção dos picos.

Seus olhos ainda não estavam em boas condições e, depois de certa observação, começou a correr. Isso porque o misterioso objeto branco estava mais perto da plataforma do que ele, diminuindo cada vez mais rápido a distância. A noventa metros de distância, seu coração saltou e o sangue em suas veias enregelou-se tanto quanto o solo abaixo de seus pés. O objeto branco era na verdade um viajante do Norte, magro e faminto: um urso polar, que farejara comida e saíra à procura, vindo com passos pesados, mandíbulas vermelhas e presas amareladas. Rowland não tinha arma alguma, a não ser um canivete rústico que puxou do bolso enquanto corria. Nem por um instante hesitou em travar um confronto que certamente resultaria na sua morte, pois a presença daquele urso envolvia a segurança de uma criança cuja vida era então mais importante para ele do que a sua própria. Para seu horror, viu-a arrastar-se para fora da abertura na cobertura branca, precisamente no momento em que o urso virava o canto do passadiço.

– Volte, querida! Volte! – gritava ele, enquanto descia a encosta. O urso alcançou a criança primeiro. E, aparentemente sem esforço algum, golpeou-a com a enorme pata, atirando-a a vários metros de distância, inconsciente. Virando-se para seguir caminho, o bruto animal viu Rowland.

O urso firmou-se sobre as patas traseiras, tornou a pôr-se sobre as quatro patas e avançou. Rowland sentiu os ossos de seu braço esquerdo partindo-se em meio à mordida daqueles dentes amarelados. Mas, ao cair, enterrou a faca no dorso do urso que, com um grunhido, soltou o membro mutilado e deu-lhe um arrebatador golpe, lançando-o ainda mais longe do que fizera com a menina. Rowland levantou-se com as costelas quebradas e (sentindo vagamente alguma dor) aguardou a segunda investida.

Novamente o braço inútil e esmagado foi agarrado pelas presas amarelas, e outra vez Rowland foi empurrado para trás; mas, desta vez, usou a faca com habilidade. O grande focinho pressionava seu peito; o hálito quente e fétido entrava em suas narinas; sobre seu ombro, olhos famintos fulminavam os seus. Mirou no olho esquerdo do animal, e acertou em cheio. A lâmina de treze centímetros entrou até o cabo, perfurando o cérebro do animal, que com um salto convulsivo quase o derrubou, arrastando-o. Então empinou-se, com as patas estendidas até atingir sua altura máxima de dois metros, e caiu em seguida, com chutes espasmódicos no ar. Por fim, ficou imóvel. Rowland fizera o que nenhum caçador esquimó tentaria: enfrentara e matara um Tigre do Norte com uma faca.

Tudo aconteceu em um minuto. Mas, nesse minuto, ele estava aleijado para a vida toda. Pois, ainda no silêncio de um hospital, o melhor dos cirurgiões não conseguiria restituir os fragmentos destruídos de volta aos seus lugares, ou recolocar suas costelas esmagadas. E ele foi levado pelas ondas até uma ilha flutuante feita de gelo, de temperatura quase congelante, sem suas rudes ferramentas selvagens.

Ele seguiu dolorosamente para o pequeno amontoado vermelho e branco e levantou-o usando seu braço ileso, embora o movimento de inclinação lhe causasse uma dor excruciante. A criança sangrava profundamente por quatro agressivos arranhões, que se estendiam em diagonal, começando pelo seu ombro direito até o final de suas costas; mas descobriu, examinando-a, que seus frágeis ossinhos estavam intactos, e que seu estado inconsciente dava-se pelo baque de sua pequena testa com o gelo; por consequência, um grande galo se formou.

Por pura necessidade, seus primeiros esforços deveriam ser feitos para zelar pela sua própria sobrevivência. E, então, envolvendo a menina em seu casaco, colocou-a em seu abrigo, e cortou uma lona para usar como tipoia em seu braço gravemente ferido. Depois, usando a faca, dedos e dentes, arrancou uma parte da pele do urso – sendo obrigado a fazer uma pausa muitas vezes para não desmaiar de dor – e cortou uma camada de gordura morna, ampla e não muito grossa, que amarrou firmemente nas costas da pequena (após lavar as feridas na fonte de água mais próxima), usando um pedaço de seu vestidinho como atadura.

Ele cortou o forro de flanela de seu casaco e fez das mangas um abrigo para os pequenos membros inferiores, enrolando o que sobrava em seus tornozelos e prendendo com as cordas do barco. O resto do tecido foi colocado em volta de sua cintura, cercando os bracinhos. Em torno de tudo, trespassou tiras de lona, atando o pacote (que mais parecia uma múmia) da mesma forma que um marinheiro faria às amarras de um sistema de engrenagens. Tal processo, quando completo, teria despertado a indignação de qualquer mãe que o visse... mas ele era apenas um homem sofrendo de angústia mental e física.

Quando terminou, a criança havia recuperado a consciência, e reclamava de dor e tormento num fraco e lamentoso choro. Mas não ousou parar, pois endureceria de frio e dor. Havia muita água fresca espalhada em poças, devido ao derretimento de gelo. O urso serviria de comida. Mas precisavam de fogo para cozinhar, manter seus corpos e graves machucados aquecidos, e para fazer fumaça e serem vistos por qualquer embarcação que por ali passasse.

Ele pegou a garrafa e bebeu de forma descuidada, precisando de estímulo e raciocínio, com a certeza de que não seria qualquer droga que o afetaria nas condições em que estava. Em seguida, examinou os destroços – que eram, em sua grande parte, gravetos de boa madeira. Mais acima, parcialmente embaixo da pilha, estava um barco salva-vidas de aço, com extremidades hermeticamente fechadas, agora retraídas e amassadas sobre sua lateral. Com lona pendurada sobre uma metade e um pequeno foco de fogo na outra, o barco pareceu, por suas propriedades condutoras, um lugar mais quente do que a plataforma. E como um marinheiro sem fósforos seria uma anomalia, Rowland talhou as aparas, acendeu o fogo, pendurou a lona e trouxe a criança, que implorou tristemente por um pouco de água.

Ele encontrou ainda uma lata – possivelmente deixada num barco furado antes de ser jogado fora – e deu-lhe um pouco d'água com algumas gotas de uísque. Então pensou no café da manhã. Cortou um bife da parte posterior do urso, torrou-o usando uma lasca de madeira e achou a carne doce e satisfatória; mas quando foi alimentar a garota, viu que precisava soltar seus braços – e o fez, sacrificando a última manga de sua camisa para cobri-los. A troca de roupa e a comida fizeram com que ela parasse de chorar por um tempo, e Rowland deitou-se com ela no barco quente. Antes que o dia acabasse, o uísque se acabara e ele estava delirando de febre, enquanto a criança estava um pouco melhor.

CAPÍTULO 9

O seu delírio durou três dias, com alguns intervalos de lucidez – durante os quais ele reabastecia ou reacendia o fogo, cozinhava a carne do urso, alimentava e recobria as feridas da criança. Seu sofrimento era intenso. Seu braço, fonte de dor latejante, havia inchado de forma a ficar com duas vezes o seu tamanho normal, enquanto a lateral de seu corpo fazia com que ele não conseguisse respirar fundo. Ele não tinha dado atenção aos próprios machucados. Rowland tinha o vigor físico que anos de devassidão não tinham prejudicado, ou a carne de urso possuía alguma propriedade antifebril que ele desconhecia, ou talvez a falta do animador uísque houvesse enfim vencido a batalha. Ele reacendeu o fogo com seu último fósforo na noite do terceiro dia e olhou em volta do horizonte que escurecia. Estava fraco física e mentalmente.

Se uma embarcação tivesse aparecido nesse ínterim, ele não vira. E também não havia nenhuma à vista naquele momento. Fraco demais para subir a encosta, voltou para o barco, onde a criança, exausta de tanto chorar em vão, dormia. Sua maneira inábil e bastante heroica de embrulhá-la para protegê-la do frio tinha, sem dúvidas, contribuído muito para que suas feridas se fechassem, forçando-a a manter-se imóvel. Por outro lado, isso provavelmente lhe acrescentou mais danos aos sofrimentos atuais. Ele olhou por um momento para o rostinho pálido com rastros de lágrimas, com sua franja de cachos emaranhados escapando por cima da bandagem de lona. Inclinando-se com muita dor, beijou-a suavemente; mas tal ato fez com que ela acordasse e chamasse por sua mãe. Ele não conseguia acalmá-la, nem poderia tentar; e com um silencioso praguejar contra o destino jorrando em seu coração, ele a deixou e sentou-se sobre os escombros a alguma distância.

– Vamos muito provavelmente ficar bem – pensou ele, melancolicamente –, a menos que eu deixe o fogo se apagar. E então? Não duraremos mais do que o gelo, e não muito mais do que o urso. Devemos estar fora das rotas... estávamos a cerca de um quilômetro e meio quando colidimos, e a corrente aqui prende-se ao cinturão de névoa na altura oeste-sudoeste... mas essa é a água da superfície. Esse lugar tem suas próprias correntes. Não há nevoeiro. Nós devemos estar ao sul do cinturão, entre as vias. Eles apontarão seus barcos para a outra via depois disso, eu acho... miseráveis endinheirados! Amaldiçoados sejam, se eles a afogaram! Amaldiçoados sejam, com seus compartimentos impermeáveis e seus registros de vigia! Vinte e quatro botes para três mil pessoas – fixados com uma amarração de ganchos e cordas! Trinta homens para limpá-los e nem um machado ou faca sobre o convés. Será que ela fugiu? Se eles afundaram o barco, devem tê-la levado; e o meu companheiro sabia que eu estava com a filha dela – ele teria contado. Seu nome deve ser Myra, também; era a sua voz que eu ouvia naquele sonho. Aquilo foi haxixe. Por que me drogaram? Se bem que o uísque estava bom. Está tudo acabado, a não ser que eu chegue em terra firme... mas será que chegarei?

A lua surgiu por cima da estrutura acastelada à esquerda, inundando a superfície de gelo com uma luz acinzentada e brilhando em mil pontos de cascatas, riachos e pequenas piscinas ondulantes, atirando a mais negra sombra aos barrancos e buracos. Veio à sua mente, apesar da estranha beleza da cena, um arrasador sentimento de solidão, de pequenez, como se a vasta pilha de desolação inorgânica que o segurava fosse de uma importância muito maior do que ele mesmo; muito maior do que todas as esperanças, planos e medos de sua vida toda. A criança havia chorado até dormir de novo, e ele andava de um lado para outro no gelo.

– Lá em cima – disse ele, mal-humorado, olhando a lua e as pequenas estrelas que brilhavam no céu. – Lá em cima, em algum lugar que eles não sabem exatamente onde... mas em algum lugar lá em cima está o Paraíso dos cristãos. Lá está o seu bom Deus, que colocou a filha de Myra aqui. Seu bom Deus, que emprestou seu espírito selvagem e sanguinário para suas criaturas. E, logo abaixo de nós, também em algum lugar, está o seu inferno e o seu Deus mau, que eles mesmos inventaram. E dão-nos a nossa escolha: céu ou inferno. Não é assim... não tão assim. O grande mistério não está resolvido. O coração humano não pode ser acalentado desta forma. Nenhum

Deus bom e misericordioso criou este mundo ou suas condições. Qualquer que seja a natureza das causas muito além de nossa visão mental, um fato é indubitavelmente comprovado: que as qualidades de bondade, misericórdia e justiça não desempenham qualquer papel no esquema de governo.

"E, ainda assim, dizem que o núcleo de todas as religiões na Terra é a crença nisso tudo. Será? Ou será que é a covardia humana, o medo do desconhecido? Esse medo que impulsiona a mãe selvagem a jogar seu bebê para um crocodilo; que impele o homem civilizado a doar para as igrejas; que manteve na existência desde o início uma classe de adivinhos, curandeiros, sacerdotes e clérigos, todos vivendo das esperanças e medos excitados por si mesmos?

"E as pessoas rezam; milhões delas rezam; e afirmam que são atendidas. Será que são? Será que alguma súplica enviada ao céu pela humanidade conturbada foi respondida, ou mesmo escutada? Quem sabe? Eles oram por chuva e sol, e ambos vêm em tempo. Eles oram por saúde e sucesso, e ambos são naturais na ordem dos acontecimentos. Isso não prova nada. Mas eles dizem que sabem, por meio de edificação espiritual, que são ouvidos e confortados e respondidos no momento certo. Não seria esta uma experiência fisiológica? Será que eles não se sentiriam igualmente tranquilos se repetissem a tabuada, ou declamassem o alfabeto?

"Milhões de pessoas acreditam nisso, que as orações são respondidas... e esses milhões rogam a deuses diferentes. Estariam eles todos errados ou todos certos?

Será que uma oração hesitante seria ouvida? Admitindo que as Bíblias, Alcorões e Vedas[30] são enganosos e não confiáveis, pode não haver um Ser invisível, incógnito, que conhece o meu coração e que está me observando agora. Se assim for, este Ser me deu a minha razão, que duvida d'Ele; e é d'Ele a responsabilidade. E será que este Ser (se é que Ele existe) relevaria um defeito pelo o qual eu não sou culpado, e escutaria uma oração minha, com base na mera chance de eu estar enganado? Poderia um incrédulo, em total controle de seu raciocínio, vir a sofrer dificuldades tão grandes a ponto de não aguentar mais ficar sozinho, e sentir a necessidade de pedir ajuda a um poder imaginário? Poderia esse momento chegar a um homem sensato... a mim?

Ele olhou para a linha escura do horizonte vago, a cerca de onze quilômetros de distância; Nova York estava a mil e quinhentos; a lua no leste, a mais de trezentos mil; e as estrelas, acima, a um número qualquer em bilhões de quilômetros. Estava sozinho, com uma criança dormindo, um urso morto, e o Desconhecido. Ele caminhou suavemente para o barco e olhou para a pequena por um momento; então, levantando a cabeça, sussurrou: "Por você, Myra".

Caindo de joelhos, o ateu ergueu os olhos para os céus. E com a voz fraca e o fervor nascido do desamparo, orou ao Deus que tanto negou. Ele implorou pela vida da criança abandonada a seus cuidados; orou pela segurança da mãe, tão essencial para a menina; e orou pedindo coragem e força para fazer sua parte em uni-las. Mas,

30 Tratam-se respectivamente dos livros sagrados do Cristianismo, Islamismo e Hinduísmo.

além do apelo pelo bem de outros, nenhuma palavra ou pensamento em sua oração incluiu a si mesmo como um beneficiário. Isso seria demais para seu orgulho. Assim que se levantou, a pontiaguda frente de uma barca surgiu em volta do canto de gelo, à direita da superfície, e um momento depois a estrutura iluminada pela lua pôde ser vista, flutuando junto ao ar fraco do oeste, a menos de oitocentos metros de distância.

Ele saltou em direção ao fogo, esquecendo-se da sua dor, e pulando na madeira feito uma chama. Ele saudou, em um frenesi de emoção:

– Ahoy! Ahoy[31], barco! Nos tire daqui! – e em seguida, levantando a menina: – Acorde, Myra! Acorde! Nós estamos indo embora!

– Nós vamos para a *mamã*? – perguntou ela, sem sinal de choro.

– Sim, nós estamos indo para a *mamã* agora! Isto é... – e acrescentou para si mesmo: – Se essa cláusula da oração foi levada em consideração.

Quinze minutos mais tarde, enquanto observava a aproximação de um bote branco, ele murmurou:

– Essa embarcação já estava há oitocentos metros, antes de eu pensar em rezar. Será que a oração foi respondida? Será que ela está segura?

31 "Ahoy" é uma saudação informal em língua inglesa, usada por marinheiros em alto-mar.

CAPÍTULO 10

No primeiro andar do *London Royal Exchange*, há um grande apartamento repleto de mesas. Em torno destas, surge uma multidão de corretores, funcionários e mensageiros, correndo e gritando. Ladeando este apartamento estão portas e corredores que levam às salas adjacentes e aos escritórios; e espalhados por estes corredores, podem-se ver os quadros de avisos em que diariamente são escritos (em duplicata) os acidentes marítimos do mundo. Em uma extremidade, está uma plataforma elevada, usada para a sagrada presença de um funcionário importante. Na linguagem técnica da "Cidade", o apartamento é conhecido como o "Quarto", e o funcionário é intitulado de "Chamador", uma vez que seu negócio é chamar em voz cantada os nomes dos membros aguardados à porta, assim como as informações básicas dos quadros de avisos antes de serem riscados da leitura.

É a sede do *Lloyds*: a imensa associação de subscritores[32], corretores e entregadores que, tendo começado com os clientes no *Café Edward Lloyd* na última parte do século XVII, tem desenvolvido uma empresa tão bem

32 Termo recorrente na época para o atual acionista.

equipada, tão esplendidamente organizada e tão poderosa que reis e ministros de Estado vêm por vezes apelar a ela, buscando receber notícias estrangeiras.

Nenhum mestre ou marujo parte com a bandeira inglesa sem que eles tenham registro tabulado para a inspeção de potenciais empregadores. Não há navio zarpado em costa alguma do mundo, por mais inabitável que seja, cuja existência não seja cantada aos gritos no *Lloyds* num prazo de trinta minutos.

Um dos cômodos adjacentes é conhecido como a Sala de Mapas. Aqui podem ser encontrados, em perfeita ordem e sequência e cada qual em seu respectivo rolo, os mais novos mapas de todas as nações, além de uma biblioteca inteira de literatura náutica descrevendo até o último detalhe dos portos, luzes, rochas, bancos de areia e direções de navegação que são mostrados nos mapas. Há ainda os registros das últimas tempestades, as mudanças nas correntes oceânicas e os paradeiros de indigentes e *icebergs*. Depois de algum tempo, um membro da *Lloyds* adquire um conhecimento teórico raramente ultrapassado por aquele de um velho navegador.

Outro cômodo é o Quarto do Capitão, onde se pode apreciar descanso e refrescos; e mais outro, antítese deste último, é o Escritório de Inteligência, onde os ansiosos perguntam e descobrem sobre as últimas notícias deste ou daquele navio atrasado.

No dia em que a multidão reunida de subscritores e corretores havia sido jogada num ruidoso pânico pelo anúncio do Pregoeiro[33] de que o grande *Titan* fora

33 Outro nome para referir-se a um leiloeiro.

destruído (neste dia, os jornais da Europa e da América publicaram edições extras com os parcos detalhes da chegada de um barco de carga a Nova York, trazendo consigo sobreviventes), o Escritório de Inteligência encheu-se de mulheres chorosas e homens preocupados, pedindo, perguntando, e perguntando outra vez, por mais notícias. E quando, mais tarde, chegou um cabograma[34] informando sobre o naufrágio e dando os nomes dos que se salvaram (o Capitão, o Primeiro Tenente, um oficial, o Contramestre, sete marinheiros e uma passageira), um velho cavalheiro ergueu sua voz num grito trêmulo, muito acima do soluçar lacrimoso das mulheres, e disse:

– Minha nora está salva, mas onde está meu filho? E minha neta?

E ele então saiu correndo, para voltar no dia seguinte, e no outro. E quando, após o décimo dia de espera e observação, ele soube que outro bote de carga chegava a Gibraltar trazendo marinheiros e crianças, ele balançou a cabeça lentamente, murmurando:

– George, George... – e saiu da sala.

Naquela noite, depois de telegrafar ao Cônsul de Gibraltar sobre sua chegada, ele atravessou o canal.

No primeiro tumulto de perguntas e inquéritos, quando subscritores subiam nas mesas (e nos outros subscritores) para ouvir novamente sobre o naufrágio do *Titan*, rompeu a multidão o mais barulhento e corpulento deles, com seu nariz em gancho. E andou até a Sala do Capitão,

34 Telegrama enviado por cabos submersos. Sua criação, na América do Norte, data de aproximadamente 1865.

onde, depois de um gole de conhaque, sentou-se pesadamente, com um gemido saído do fundo de sua alma.

– Santo Abraão... – murmurou – isso vai me levar à ruína.

Outros também vieram. Alguns para beber, outros para consolar; todos para falar.

– Golpe duro, Meyer? – perguntaram-lhe.

– Dez mil – respondeu, com tristeza.

– É assim mesmo – disse outro, indelicadamente. – Esteja sempre preparado pra tudo. Eu sabia que isso aconteceria.

Embora os olhos do Sr. Meyer tenham faiscado, ele não disse nada. Ao invés disso, bebeu tanto quanto aguentou, e foi levado para casa por um de seus funcionários. A partir de então, e salvos os momentos em que visitava os quadros de avisos, ele passou a negligenciar seus negócios, bebendo e lamentando sua sorte no Quarto do Capitão. No décimo dia, leu com olhos úmidos a seguinte publicação no quadro, logo abaixo das notícias sobre a chegada do segundo navio de carga em Gibraltar:

"Boia salva-vidas da *Royal Age*, Londres, resgatada entre destroços na Lat. 45-20, N. Lon. 54-31, W. Navio *Ártico*, Boston, Capitão Brandt."

– Oh, meu bom Deus! – ele gritou, enquanto corria ao Quarto do Capitão.

– Pobre diabo... pobre diabo israelita! – disseram ao vê-lo passar. – Ele financiou todo o *Royal Age*, e a maior parte do *Titan*. Vai precisar de todos os diamantes da mulher pra saldar as dívidas.

Três semanas mais tarde, o Sr. Meyer foi despertado de um estado letárgico pelos gritos de uma multidão de subscritores que correram para o Quarto do Capitão, agarraram-no e levaram-no até o quadro de avisos.

– Leia isso, Meyer! Leia! O que você acha?

Com alguma dificuldade, ele leu em voz alta, enquanto observavam seu rosto:

– John Rowland, marinheiro do *Titan*, com uma criança de nome desconhecido, resgatado e a bordo do *Peerless*, em Kristiansand, Noruega. Ambos gravemente doentes. Rowland fala de um navio cortado ao meio na noite anterior ao naufrágio.

– O que você acha, Meyer? *Royal Age*, não é? – perguntou um.

– Sim! – vociferou outro. – Eu percebi! O único navio que não informou retorno recentemente. Dois meses de atraso. Foi visto no mesmo dia, há oitenta quilômetros do *iceberg*.

– Com certeza! – disseram outros. – Nada foi falado sobre isso no relatório do Capitão. Parece estranho...

– Bem, e daí? – disse Meyer, dolorosa e estupidamente. – Há uma cláusula de colisão no *contrrato* do *Titan*. Eu apenas pago *a dinheirro* à companhia de *vaporr*, e não *à* pessoal da *Royal Company*.

– Mas por que o Capitão escondeu isso? – gritaram de volta. – O que ele queria? Ele não tinha seguro contra colisões?

– *Parrece* que sim... *parrece grrave*...

– Não tem sentido, Meyer! O que há de errado com você? De qual tribo você veio? Você é diferente de todos da sua raça, bebendo até ficar estúpido, como um bom cristão! Coloquei dinheiro no *Titan* também, e se eu for pagar por isso, quero saber por quê. Você tem o maior dos riscos sobre as costas, e a inteligência para lutar e sair dessa. Você precisa fazer isso! Vá pra casa, arrume-se, e prepare-se. Nós vamos observar o Rowland até você estar a postos. Este problema afeta a todos nós!

Colocaram-no em um táxi, levaram-no para um banho turco[35] e então para casa.

Na manhã seguinte, ele estava em sua mesa, com os olhos e a cabeça limpos. Nas semanas seguintes, ele foi um homem de negócios astuto e ocupado.

---

35 Banho ou sauna a vapor.

CAPÍTULO 11

Numa manhã, cerca de dois meses após o anúncio da perda do *Titan*, Meyer sentou-se em sua mesa nos Quartos, escrevendo compenetrado. O velho senhor que chorou a morte de seu filho no Escritório de Inteligência cambaleou e sentou-se ao lado dele.

– Bom dia, Sr. Selfridge – disse ele, mal levantando o olhar. – Suponho que você tenha vindo *parra receberr* a *segurro. As* sessenta dias *acabarram*.

– Sim, sim, Sr. Meyer – disse o velho, fatigado. – Naturalmente, como um mero acionista, não posso tomar nenhuma iniciativa, mas eu faço parte disso e, como é de se esperar, estou um pouco ansioso. Tudo o que eu tinha no mundo, até mesmo o meu filho e minha neta,– estava no *Titan*.

– É muito *trriste*, Sr. Selfridge, eu sinto muito. *Acrredito* que você seja *a* maior detentor de ações do *Titan, cerrca* de cem mil, não é?

– Por volta disso.

– Eu sou *a* mais *imporrtante corretorr*. Sendo assim, Sr. Selfridge, essa batalha *serrá,* em *grrande parrte*, *entrre* você e eu.

– Batalha... isso sugere que haverá algum empecilho? – perguntou o Sr. Selfridge, ansiosamente.

– Talvez, eu não sei. *As subscrritorres* e *emprresas* de *forra colocarram a* assunto em minhas mãos. E não vão me *pagarr* até que eu tome a iniciativa. Temos que *ouvirr* um *cerrto* John Rowland, que foi resgatado com uma *crriança* de um *iceberrg* e levado a Kristiansand. Ele está muito doente *parra sairr* do navio que o resgatou, e eles vem subindo o Tâmisa de manhã. Eu mandei uma carruagem *parra* as docas, e vou receber *a senhorr* Rowland *à* meio dia. É onde *lidarremos* com esse pequeno negócio... não aqui.

– Uma criança... salva... – questionou o velho. – Meu Deus, pode ser a pequena Myra. Ela não estava em Gibraltar com os outros. Eu não me importaria... eu não me importaria muito com o dinheiro se ela estivesse salva. Mas meu filho, meu único filho, se foi. E Sr. Meyer, eu serei um homem arruinado se esse seguro não for pago.

– E eu *serrei* um homem arruinado se ele *forr*! – disse o Sr. Meyer, levantando-se. – Você *virrá* ao *escrritórrio*, Sr. Selfridge? Imagino que *a* advogado e *a* Capitão Bryce já estejam lá.

Sr. Selfridge levantou-se e acompanhou-o até a rua.

Os dois homens foram recebidos em um escritório privado, parcamente mobiliado e situado na Rua Threadneedle, sendo este uma partição de um prédio maior com o nome do Sr. Meyer na janela. Um destes dois homens, interessado que estava em fazer um bom negócio, seria logo empobrecido. Eles não esperaram nem um minuto até que o Capitão Bryce e o Sr. Austen fossem anunciados, e entrassem. Elegantes, bem nutridos e gentis em seus modos, eram tipos perfeitos da Marinha Britânica. Quando o Sr. Meyer apresentou-os como sendo o Capitão e o Primeiro Tenente do *Titan*, eles curvaram-se educadamente, e depois se sentaram. Alguns momentos depois, chegou uma pessoa de aparência astuta, a quem o Sr. Meyer identificou como o advogado da empresa de navios a vapor, embora não o tenham apresentado. Enfim, tais são as amenidades do sistema inglês de castas.

– Agora, senhores – disse Meyer –, eu *crreio* que podemos *acelerrarr as* negócios até *cerrto* ponto. Sr. Thompson, você tem *a* depoimento do Capitão Bryce?

– Tenho sim – disse o advogado, entregando um documento que foi brevemente analisado pelo Sr. Meyer, e então devolvido.

– E nesta declaração, Capitão – disse ele – você *jurrou* que a viagem *trranscorreu* sem nenhum acidente até *a* momento da colisão, ou seja – adicionou ele, com um sorriso oleoso, enquanto percebia o rosto do Capitão empalidecer-se –, que não ocorreu nada que pudesse *torrnarr a Titan* menos confiável ou *administrrável*?

– É o que pus em meu juramento – disse o Capitão, olhando de esguelha.

– Você é *a prroprrietárrio* de *parrte da* navio, não é, Capitão Bryce?

– Eu possuo uma pequena parte das ações da companhia.

– Eu examinei *a alvarrá* e as listas da companhia – disse o Sr. Meyer –, cada *barrco* da companhia é, até onde as avaliações e os dividendos dizem respeito, uma companhia *separrada*. *Descobrri* que seu nome consta como *prroprrietárrio* de uma *parrcela* das ações do *Titan*. Isto o torna, sob a lei, *prroprrietárrio* do *Titan* e, *porrtanto*, responsável *porr* ele.

– O que o senhor quer dizer com a palavra "responsável"? – disse o Capitão Bryce, rapidamente.

Em resposta, o Sr. Meyer arqueou suas sobrancelhas negras, adotando uma postura atenciosa, olhou em seu relógio e foi à porta. Ao abri-la, o local encheu-se com o barulho das rodas de uma carruagem.

– Aqui! – disse ele, chamando seus funcionários. E virando-se para o Capitão, esbravejou: – Eu *querro dizerr* que você omitiu em sua *declarração jurramentada* toda e *qualquerr referrência* ao fato de que colidiu com o navio *Royal Age* e afundou-o, na noite *anterrior* ao *naufrrágio* de seu *prróprio* navio.

– Quem disse... Como você sabe? – vociferou o Capitão. – Você tem apenas o depoimento daquele tal Rowland, um beberrão irresponsável!

– Quando ele foi levado a bordo em Nova York, já estava bêbado – interrompeu o Primeiro Tenente. – E permaneceu delirando até o naufrágio. Não nos encontramos com o *Royal Age* e não somos, de forma alguma, responsáveis por essa perda.

– Sim – acrescentou o Capitão Bryce –, um homem nessas condições é passível de ver qualquer coisa. Nós escutamos os seus delírios na noite do naufrágio. Ele estava de vigia na plataforma. Sr. Austen, o Contra, e eu, estávamos próximos a ele.

Antes que o sorriso rançoso do Sr. Meyer indicasse ao perturbado Capitão que ele falara demais, a porta abriu-se e recebeu Rowland, pálido e fraco, com uma das mangas da camisa vazia, apoiado no braço de um gigantesco homem de barba ruiva e olhar viril, que trazia a pequena Myra em seu outro ombro e que disse, tão suavemente quanto o vento da popa:

– Bem, eu o trouxe meio morto, mas por que vocês não me deram tempo para aportar o meu navio? Um homem só não pode fazer tudo!

– E este é o *Capitón* Barry do *Peerless* – disse o Sr Meyer, apertando sua mão. – Está tudo bem, meu amigo, você não *irrá perrdê-lo*. E este é o Sr. Rowland; e esta é a pequena *crriança*. Sente-se, meu amigo. E parabéns por ter sobrevivido.

– Obrigado – disse Rowland, fraco, enquanto se sentava –, mas eles amputaram meu braço em Kristiansand, e eu ainda estou vivo. Por isso, sim, eu mereço os parabéns.

O Capitão Bryce e o Sr. Austen, pálidos e imóveis, encararam duramente o homem em cujo rosto magro e fino notava-se uma leveza quase espiritual. Eles mal reconheceram os traços daquele problemático marinheiro do *Titan*. Suas roupas, embora limpas, estavam rasgadas e remendadas.

–Bem, *cavalheirros*, o que acham disso? – perguntou o Sr. Meyer, olhando ao redor.

– Uma mentira, do começo ao fim! – bradou o Capitão Bryce.

Rowland ergueu-se, mas foi impelido de volta à cadeira pelo homem alto que o acompanhava e que encarou o Capitão Bryce e disse, num tom baixo:

– Eu vi o urso polar que esse homem matou numa luta em campo aberto. Eu vi seu braço depois disso, e enquanto eu cuidava dele, à beira da morte, não ouvi lamentação alguma. Ele pode lutar por si mesmo quando está bem; e enquanto estiver doente, eu lutarei por ele. Se você insultá-lo novamente, vou socar seus dentes goela abaixo.

CAPÍTULO 12

Houve um momento de silêncio enquanto os capitães olhavam um para o outro. Este hiato foi quebrado pelo advogado, que disse:

– Seja essa história verdadeira ou falsa, certamente não influencia na validade do acordo. Se isto aconteceu, foi depois de estabelecido o contrato e antes do naufrágio do *Titan*.

– Mas a *omissôn*, a *omissôn*! – gritou o Sr. Meyer, enérgico.

– Tampouco traz implicações. Se ele omitiu algo, o fez depois do naufrágio, e antes que sua responsabilidade fosse confirmada. Não pode sequer ser chamado de negligência. Você deve pagar este seguro.

– Eu não vou *pagarr* nada! Não vou! *Levarremos* esse caso até *as trribunais*.

De tão fleumático, o Sr. Meyer pisoteou o chão ruidosamente, parando com um sorriso triunfante e esfregando o dedo no rosto do advogado:

– E mesmo que a omissão não afete *a contrrato*, o fato de *terr* colocado *uma* homem *bêbada* vigiando quando *a Titan* colidiu já é suficiente. Vá, processe! Eu não *pagarrei*! Ele *erra prroprrietárrio* de *parrte da* navio.

– Você não tem testemunhas disso – disse o advogado. O Sr. Meyer passou os olhos pelo grupo e o sorriso deixou seu rosto.

– O Capitão Bryce estava enganado – disse o Sr. Austen. – Este homem estava bêbado em Nova York, assim como outros da tripulação. Mas ele estava sóbrio e competente durante seu trabalho. Eu discuti teorias de navegação com ele durante seu turno na plataforma naquela noite, e ele conversou comigo de forma bastante inteligente.

– Mas você *mesma* disse, há menos de dez minutos, que *esta* homem estava *delirrando* até o momento da *colisôn* – disse o Sr. Meyer.

– O que eu disse e o que eu admitiria perante o júri são duas coisas completamente diferentes – disse o Primeiro Tenente, desesperado. – Eu posso ter dito qualquer coisa no calor do momento, ao ser acusado de tão infame crime. O que eu digo agora é que John Rowland, independente de qual fosse sua condição na noite anterior, estava sóbrio e apto no posto de vigia no momento do naufrágio do *Titan*.

– Obrigado – disse Rowland, secamente, ao Primeiro Tenente. Então, olhando para o rosto carismático do Sr. Meyer, disse: – Eu não acredito que será necessário expor-me ao mundo como um beberrão para punir a companhia e a estes homens. Negligência, até onde entendo, é o ato ilegal de um capitão ou da tripulação em alto mar; causando dano ou perda; e o conceito apenas se aplica quando as partes são completamente formadas por funcionários. E se eu entendi corretamente, o Capitão Bryce era proprietário de parte do *Titan*. Estou correto?

– Sim – disse o Sr. Meyer –, ele possui ações e nós *assegurramos contrra* negligência; mas *esta* homem, como *prroprrietárrio parrcial*, não se encaixa na *acusaçôn*.

– E um ato ilegal – prosseguiu Rowland – que foi conjecturado por um capitão que é dono de parte do navio e que pode causar um naufrágio, sendo que quando a conjectura do acidente realmente ocorre... Isto certamente é suficiente para anular o contrato.

– *Cerrtamente*! – disse o Sr. Meyer, ansioso. – Você estava *delirrando* de tão bêbado *durrante sua turrno*, como ele mesmo disse. Você *afirrmarria* isso sob *jurramento*, não é, meu amigo? Isto é um ato de má fé com os *subscrritores*. Isso anula *a segurro*. Você admite isso, não é mesmo, Sr. Thompson?

– Esta é lei – disse o advogado, friamente.

– O Sr. Austen também era proprietário parcial? – perguntou Rowland, ignorando a perspectiva de Sr. Meyer sobre o caso.

– De uma *parrcela*, não é *verrdade*, Sr. Austen? – perguntou o Sr. Meyer enquanto esfregava suas mãos e sorria. O Sr. Austen não mostrou sinal de negação, ao que Rowland continuou:

– Então, por drogar um marinheiro e por fazê-lo permanecer de vigília fora de seu turno e estando nestas condições no momento da colisão contra o *iceberg*, o Capitão Bryce e o Sr. Austen cometeram, como donos parciais, um ato que anula o seguro do navio.

– Seu canalha mentiroso dos infernos! – rugiu o Capitão Bryce, caminhando até Rowland com um rosto ameaçador.

Na metade do caminho, foi parado pelo impacto de um grande punho moreno que ergueu seus pés do chão, lançando-lhe ao outro lado da sala, passando por cima do Sr. Selfridge e da criança, afundando-se ruidosamente no chão. O grande Capitão Barry examinava as marcas de dente em seu punho, e todos os demais correram para junto dele.

– Eu te disse pra tomar cuidado – disse o Capitão Barry. – Trate meu amigo com respeito. – Ele encarou fixamente o Primeiro Tenente, como se o convidasse a duplicar a ofensa, mas aquele cavalheiro afastou-se e ajudou o desnorteado Capitão Bryce a sentar-se numa cadeira, de onde ele segurou um dente caído, cuspiu sangue sobre o assoalho do Sr. Meyer e gradualmente despertou, percebendo que havia sido nocauteado. E por um americano!

A pequena Myra, ilesa embora terrivelmente assustada, começou a chorar e a chamar por Rowland do seu próprio modo, para a surpresa (e de certo modo, escândalo) do velho cavalheiro que tentava acalmá-la.

– *Maldiço*[36]! – ela gritou, enquanto lutava para chegar até ele. – *Maldiço*! *Maldiço*! *Maldiiiço*!

– Oh, mas que menina mal-educada! – disse o jocoso Sr. Meyer, desaprovando-a. – Onde ela *aprrendeu essa linguajarr*?

36 No original, Myra apelida Rowland de "Dammy", um termo que ela própria criou, e que parece remeter carinhosamente a "damn" (maldito), termo usado por seus pais para referirem-se ao marinheiro, anteriormente na obra. A "criação" da menina explica o choque causado nos ouvintes.

– É meu apelido – disse Rowland, sorrindo inesperadamente; e explicou ao agitado Sr. Selfridge, que ainda não compreendera o ocorrido. – Ela criou a palavra e eu ainda não consegui fazê-la parar de usá-la... E nem ficar bravo com ela. Deixe-me pegá-la, senhor.

Ele se sentou com a criança, que se aconchegou contente nele e, logo, estava tranquila.

– *Agorra*, meu amigo – disse o Sr. Meyer –, você deve nos *contarr sobrre* esta *histórria de drrogas*.

Então, enquanto o Capitão Bryce transformava a lembrança de seu golpe em uma fúria insana; enquanto o advogado puxava uma cadeira e tomava notas da história; e enquanto o Sr. Selfridge aproximava a sua cadeira de Myra, desinteressado desta história, Rowland narrou os eventos anteriores e posteriores ao naufrágio. Começando com o uísque encontrado por ele em seu bolso, contou de seu chamado à plataforma d'estibordo, para assumir o posto no lugar de seu legítimo marinheiro; e contou sobre o repentino e estranho interesse que o Sr. Austen demonstrou sobre o seu conhecimento em navegação; e ainda da dor em seu estômago, das formas sinistras que vira no convés inferior e do que sentira em seus delírios, deixando de lado apenas a parte sobre a mulher que ele amava. Ele contou sobre a criança sonâmbula que o despertara, sobre a colisão com o gelo e o naufrágio instantâneo, e sobre a sua visão afetada, impedindo que focalizasse a certa distância. E terminou sua história explicando sobre a manga da camiseta que estava vazia, com uma descrição de sua luta contra o urso tão rica em detalhes quanto uma fotografia.

– Eu analisei tudo isto – ele disse, concluindo. – Eu estava drogado. Creio que com haxixe, o que pode fazer um homem ter estranhas visões. Fui levado à plataforma, onde minhas ações poderiam ser observadas e meus delírios poderiam ser ouvidos e gravados com um único propósito de desacreditar o testemunho que eu ameaçara fazer sobre a colisão da noite anterior. Mas eu ainda estava um pouco consciente, já que joguei fora parte do meu chá da janta. Naquele chá, certamente, havia haxixe.

– Você age como se soubesse tudo sobre o assunto! – rosnou o Capitão Bryce de sua cadeira. – Não era haxixe, mas sim uma infusão de cânhamo indiano! Você nem conhe... – e o Sr. Austen correu em cobrir-lhe a boca.

– Auto-condenou-se! – disse Rowland, com um riso quieto. – Haxixe é feito de cânhamo indiano.

– Vocês *ouvirram* isso, *cavalheirros*! – exclamou o Sr. Meyer, colocando-se de pé e encarando todos ao seu redor. Ele pressionou o Capitão Barry: – Você ouviu esta *confissôn*, Capitão. Você ouviu-o falar em cânhamo indiano? Eu tenho uma testemunha *agorra*, Sr. Thompson. Vá adiante com *a* seu processo. Você ouviu-o, Capitão Barry. Você, que não possui interesse algum nesta *histórria*! Você é uma testemunha! Ouviu?

– Sim, eu ouvi o canalha assassino – disse o Capitão.

O Sr. Meyer comemorou, extasiado, enquanto o advogado, guardando suas anotações, voltou-se para o desbaratinado Capitão Bryce:

– Você é o maior tolo que eu conheço – e deixou o escritório.

Então, o Sr. Meyer acalmou-se e, encarando os dois oficiais navais, disse, de modo calmo e impressionante, enquanto enfiava seu dedo indicador quase em seus rostos:

– A Inglaterra é um ótimo país, meus amigos. Um ótimo país *parra* se *deixarr.* Há o Canadá, e *as* Estados Unidos, e a *Austrrália*, e a *Áfrrica* do Sul... *todas* ótimos países também: ótimos países *parra irr* com novos nomes. Meus amigos, o nome de vocês *aparrecerrá nas memorrandos* e *serrá* ouvido na *Lloyds* em menos de meia *horra*; e vocês nunca mais *velejarrôn* sob a *bandeirra* inglesa novamente. E deixem-me dizer, meus amigos, que meia *horra* após *aparrecerrem nas memorrandos*, toda a Scotland Yard *estarrá prrocurrando porr* vocês. Mas minha *porrta* não está *trrancada.*

Em silêncio, eles se levantaram, com os rostos pálidos e envergonhados, e saíram pela porta, pelo escritório exterior, e para a rua.

CAPÍTULO 13

O Sr. Selfridge começara a interessar-se pelo que ocorria. Assim que os dois passaram pela porta, ele levantou-se e perguntou:

– Vocês chegaram a um acordo, Sr. Meyer? O seguro será pago?

– Não! – rugiu o subscritor, no ouvido do velho e perplexo cavalheiro, enquanto dava-lhe um vigoroso tapa nas costas. – Nada *serrá* pago. Um de nós dois *irrá* a ruína, Sr. Selfridge, e foi estabelecido que *serrá* o *senhorr*. Eu não *pagarrei a segurro* do *Titan*, e tampouco o *farrôn* os outros seguradores. Ao *contrárrio*, conforme a cláusula de colisão *na contrrato*, sua companhia deve me reembolsar *a segurro* que *pagarrei* aos donos da *Royal Age*; isto é, a menos que o nosso bom amigo aqui, Sr. Rowland, que testemunhou o evento, jure que suas luzes estavam apagadas.

– De maneira alguma – disse Rowland. – Suas luzes estavam bem nítidas e... Olhem para o cavalheiro! – ele exclamou. – Olhem para ele! Peguem-no!

O Sr. Selfridge cambaleava em direção a uma cadeira. Ele engasgou, perdeu o fôlego e, antes que qualquer um pudesse chegar até ele, caiu ao chão, onde ficou, com os lábios acinzentados e os olhos fora de órbita, engasgando-se convulsivamente.

– Insuficiência cardíaca – disse Rowland, conforme se ajoelhava ao seu lado. – Chamem um médico!

– Chamem um médico! – repetiu o Sr. Meyer, pela porta, aos seus funcionários. – E uma carruagem, rápido! Eu não *querro* que ele morra *na escritórrio*!

O Capitão Barry ergueu a impotente figura até um sofá, e eles observaram enquanto as convulsões tornavam-se mais fortes; a respiração, mais curta; e os lábios passavam do cinza-pálido ao azul. Antes que um médico ou carruagem chegasse, ele havia falecido.

– Foi algum tipo de emoção súbita – disse o médico, quando chegou – e violenta também. Ele ouviu más notícias?

– Boas e ruins – respondeu o subscritor. – A boa notícia é que sua netinha *querrida* está viva; e a má é que ele é um homem falido. Ele era *a maiorr* acionista do *Titan*. Cem mil *librras*, isto é o que ele possuía em ações. Uma *forrtuna* que esta pobre *crriança* não *receberrá*.

O Sr. Meyer olhou com remorso, enquanto passava a mão na cabeça de Myra.

O Capitão Barry acenou para Rowland, que, levemente ruborizado, permanecia junto à figura imóvel no sofá; e, observando o rosto do Sr. Meyer, em que se misturavam aborrecimento, júbilo e choque, disse, virando-se para observar o médico sair da sala:

– Espere! Então é verdade, Sr. Meyer, que o Sr. Selfridge possuía ações do *Titan*, e teria ido à falência, se estivesse vivo, pela perda do dinheiro do seguro?

– Sim, ele *serria* um homem pobre. Ele investiu seus últimos recursos, cem mil *librras*. E se ele possuísse algo mais, seria avaliado para compensar *parrte* do que sua companhia deve *pagarr* à *Royal Age*, a qual também é minha *assegurrada*.

– Havia uma cláusula de colisão no contrato do *Titan*?

– Sim.

– E você se arriscou, sabendo que Ele navegava para Northern Lane, com velocidade máxima, em meio à neve e à neblina?

– Sim, e outros *fizerram* o mesmo.

– Então, Sr. Meyer, resta-me dizer ao senhor que o seguro do *Titan* será pago, assim como qualquer outra penalidade prevista na cláusula de colisão do contrato. Em suma, eu, o único homem que poderia prevenir isso, recuso-me a testemunhar.

– Q-q-quê?

O Sr. Meyer agarrou as costas de uma cadeira, e, inclinado-se sobre ela, encarou Rowland.

– Você não *irrá* testemunhar? O que quer *dizerr*?

– O que eu disse. E não me sinto inclinado a te dar minhas razões, Sr. Meyer.

– Meu bom amigo... – disse o subscritor, avançando com as mãos estendidas para Rowland, que recuou, e, tomando Myra pela mão, foi em direção à porta.

O Sr. Meyer saltou à frente, trancou-a e retirou a chave, para então encará-los:

– Oh não, *oh mein Gott*![37] – gritou ele, levado pelo nervosismo de volta ao dialeto de sua raça. – O que eu te fiz, *hey*? *Porr* que vai me *apunhalarr*, *hey*? Eu não paguei *a* conta *da* médico? Eu não paguei a carruagem? Eu não o *trratei* como um *cavalheirro*? Eu fiz tudo isso, *hey*? Te levei ao meu *escritórrio* e te chamei de *senhorr* Rowland. Eu não fui um *cavalheirro*?

– Abra a porta – disse Rowland, calmamente.

– Sim, abra – repetiu o Capitão Barry; seu rosto tinindo com a perspectiva de mais ação de sua parte. – Abra ou eu a derrubarei com um chute.

– Mas você, meu amigo, ouviu a confissão do capitão *sobrre* as *drrogas*. Uma boa testemunha *bastarria*; duas *serriam melhorr*. Mas você *irrá* testemunhar, meu amigo; você não *irrá* me *levarr* à ruína.

– Eu estou do lado de Rowland – disse o Capitão, sério. – Eu não me lembro do que foi dito, de qualquer modo. Tenho uma péssima memória. Afaste-se da porta.

Uma terrível lamentação, choros e gemidos, e o mais genuíno ranger de dentes, intercalados com os gritos febris da assustada Myra e pontuados pelas ordens divergentes a respeito daquela porta, encheram o escritório particular, para a surpresa dos funcionários do lado de fora. E terminou, enfim, com a porta sendo arrancada de suas dobradiças.

O Capitão Barry, Rowland e Myra, seguidos pelos xingamentos passionais do desesperado subscritor, deixaram o escritório e chegaram à rua. A carruagem que os trouxera ainda esperava por eles.

37 "Oh, meu Deus", em alemão.

– Não se preocupe – disse o Capitão ao condutor. – Pegaremos outra, Rowland.

Na próxima esquina, eles encontraram um táxi, no qual entraram. Capitão Barry deu ao condutor a direção: – Embarcação *Peerless*, na doca *Índia Oriental*.

Quando começaram a mover-se, o Capitão disse ainda:

– Acho que entendo o seu jogo, Rowland. Você não quer deixar essa criança sem nada.

– Exatamente – respondeu Rowland, baixo, enquanto repousava da tensão dos últimos momentos. – Pense na situação em que estou, se estou certo ou errado: a causa do naufrágio foi a alta velocidade em meio à neblina. Mesmo com todos no convés, não veríamos aquele *iceberg*. Os subscritores sabiam sobre a velocidade e, ainda assim, assumiram o risco. Deixe que eles paguem.

– Certo, eu estou com você nessa. Mas é melhor você sair do país. Eu não sei o que a lei diz sobre isso, mas eles podem te obrigar a depor. Você não pode velejar como marinheiro novamente, isso é certo. Mas você pode ir comigo, desde que eu pilote o navio, se você aceitar. E minha cabine pode ser sua casa pelo tempo que precisar, lembre-se disso. Outra coisa: eu sei que você quer ficar com a criança, e se você ficar por aqui até que eu navegue, podem levar meses até você chegar à Nova York, com a possibilidade de perder a criança por se sujar com a lei inglesa. Mas deixe comigo. Há interesses poderosos em jogo.

Rowland estava fraco demais para entender o que o Capitão Barry tinha em mente. Ao chegarem ao barco, ele foi ajudado por seu amigo e colocado em um sofá na cabine onde ficou o restante do dia, impossibilitado de se levantar. Enquanto isso, o Capitão Barry tinha ido a terra firme novamente.

Voltando à noite, ele disse ao homem no sofá:

– Eu recebi seu dinheiro, Rowland, e assinei o recibo para o advogado. Ele pagou do próprio bolso. Você poderia ter conseguido cinquenta mil daquela companhia, ou até mais. Mas eu sabia que você não tocaria naquele dinheiro, e então, exigi apenas o seu pagamento. Te deram o equivalente a um mês. Aqui está; dezessete, em moeda americana.

Ele entregou a Rowland um punhado de notas, e continuou, sacando um envelope:

– E aqui está outra coisa, Rowland. Já que você perdeu todas as suas roupas e, o que é pior, seu braço, devido à falta de cuidado dos oficiais da companhia, o Sr. Thompson te ofereceu isso.

Rowland abriu o envelope. Dentro dele, havia duas passagens de primeira classe, de Liverpool à Nova York. Ruborizando-se, ele disse amargamente:

– Parece que eu não vou conseguir escapar mesmo.

– Aceite-as! Na verdade, eu peguei-as para você. O seu nome e o da garota já estão reservados. E eu fiz Thompson concordar em deixar a conta de seu médico para aquele judeuzinho. Isso não é suborno. Eu te acompanhei pelo caminho todo, mas, na verdade, você não vai levar nada de mim. Você precisa devolver a pequenina. Você é o único que pode fazer isso. O velho cavalheiro era um americano, e estava sozinho aqui. Não tinha sequer um advogado que eu pudesse encontrar. O navio sai de manhã, e o trem noturno sai em duas horas. Pense naquela mãe, Rowland. Rapaz, eu cruzaria o mundo para estar no seu lugar quando você entregasse Myra. Eu também tenho uma filha.

Os olhos do capitão piscavam rápida e firmemente; e os de Rowland brilhavam.

– Sim, eu vou aceitar a passagem – disse ele, com um sorriso. – Eu aceito o suborno.

– Muito bem. Você será forte e firme quando chegar em terra. E quando aquela mãe tiver terminado de te agradecer, e você voltar a pensar em si mesmo, lembre-se: eu preciso de um parceiro de viagens, e ficarei por aqui mais um mês antes de zarpar. Escreva-me, aos cuidados da *Lloyds*, se você quiser a vaga, e eu lhe mandarei um adiantamento para pagar sua viagem de volta.

– Obrigado, Capitão – disse Rowland, enquanto apertava a mão do outro. E olhando para a manga vazia de sua camisa, disse: – Mas minha vida no mar acabou. Até um marinheiro precisa de duas mãos.

– Bem, faça como achar melhor, Rowland. Eu te aceitaria como meu companheiro ainda que não tivesse mão nenhuma, desde que ainda tivesse seu cérebro. Me fez bem conhecer um homem como você, e... Espero que não me leve a mal, mas você não tomou um bom pileque nos últimos dois meses. Você vai beber de novo?

– Nunca mais – disse Rowland, ficando de pé. – Eu tenho um futuro agora, bem como um passado.

CAPÍTULO 14

Na manhã seguinte, pouco antes do meio-dia, Rowland estava sentado com a menina em uma espreguiçadeira. Do convés, olhou para a grande vela azul-brilhante e lembrou-se de que não mandara avisar a Sra. Selfridge sobre o resgate de sua filha. E a menos que o Sr. Meyer e seus associados liberassem a história à imprensa, ela certamente desconhecia o fato de que a menina estava em segurança.

– Bem – divertiu-se ele, pensando –, uma dose de alegria não vai matá-la. E eu poderei testemunhar isso se eu pegá-la de surpresa. Mas é mais provável que a história chegue aos jornais antes de eu encontrá-la. É boa demais para que o Sr. Meyer não a divulgue.

Mas o caso não foi divulgado imediatamente. O Sr. Meyer convocou uma conferência dos subscritores que, junto com ele, participaram do seguro do *Titan*; e ali decidiu manter sigilo sobre a carta que planejavam jogar. Deste modo, gastariam o mínimo em tempo e dinheiro buscando por outras testemunhas entre a tripulação do *Titan*, ou mesmo interrogando o Capitão Barry, a fim de melhorar sua memória. Após algumas poucas (e tempestuosas) reuniões com este grande obstáculo, convenceram-se da inutilidade desta ideia e, após descobrir, ao fim de uma semana, que cada sobrevivente do *Titan* havia sido induzido a alistar-se em viagens para o Cabo, ou então desaparecera, eles decidiram contar a versão de Rowland para a imprensa, na esperança de que a publicidade servisse para dar luz a novas evidências. E a história, melhorada pela constante repetição do Sr. Meyer aos repórteres, e embelezada ainda mais pelos jornais que a escreviam, sobretudo na parte da luta com o urso polar, estouraram nos grandes jornais da Inglaterra e do Continente, sendo ainda telegramados à Nova York, com o nome do navio em que John Rowland havia recentemente embarcado (já que seus passos estavam sendo seguidos em busca de evidências). A notícia chegou, tarde demais para ser publicada, na manhã do dia em que Rowland desembarcava nas docas de North River, com Myra em seus ombros. Consequentemente, ele foi cercado por entusiasmados repórteres, que mencionaram a história e pediram mais detalhes. Ele se recusou a falar, esquivou-se deles e chegou às ruas laterais. Logo, encontrou-se na lotada Broadway, onde adentrou o escritório da companhia de navios a vapor responsável pelo *Titan* para encontrar-se com o funcionário que lhe reservara, diretamente da lista de endereços dos passageiros, os dados de Myra, a única mulher sobrevivente. Então, ele tomou uma carruagem e subiu a Broadway, chegando a uma grande loja de departamentos.

– Nós vamos ver sua *mamã* logo, Myra – sussurrou ele na orelha rosada da menina. – E você deve ir bem vestida. Não faz diferença no meu caso, mas você nasceu na Quinta Avenida[38], é uma pequena aristocrata. Essas roupas não servirão mais para você.

Mas a criança esquecera-se da palavra *mamã*, e estava mais interessada no empolgante ruído e em toda a vida das ruas do que nas roupas que vestia. Na loja, Rowland perguntou sobre o departamento de roupas infantis, onde uma jovem moça esperava por ele.

– Esta criança esteve num naufrágio – ele disse. – Eu tenho dezesseis dólares e meio para gastar com ela. Dê-lhe um banho, arrume seu cabelo e use o resto do dinheiro em um vestido, sapatos, meias, roupas de baixo e um chapéu.

A moça parou e beijou a menininha de forma acolhedora, mas reclamou que não poderia fazer muita coisa.

– Faça o melhor que conseguir – disse Rowland. – É tudo o que eu tenho. Eu vou esperar aqui.

Uma hora depois, novamente sem dinheiro, ele saiu da loja com Myra, que estava belamente vestida com seus novos acessórios, e foi parado na esquina por um policial que ouviu e perguntou, confuso, sobre aquela justaposição de trapos e fitas.

– De quem é essa criança?

– Eu acredito que seja a filha da Sra. Coronel Selfridge – respondeu Rowland, altivo e visivelmente arrogante.

– Você acredita, mas não sabe. Volte para a loja, turista, e vamos ver de quem você a roubou.

– Muito bem, seu guarda. Eu posso provar que ela estava comigo.

---

38 A Quinta Avenida (Fifth Avenue) americana é uma localização marcada pelos grandes comércios de luxo e pela presença da aristocracia.

Eles voltaram, o guarda com sua mão na gola de Rowland, e foram recebidos na porta por três ou quatro pessoas que saíam. Uma dessas pessoas, uma jovem moça vestida de preto, soltou um grito lancinante e correu em direção a eles:

– Myra! Devolva meu bebê! Dê-a para mim!

Ela tomou a criança do ombro de Rowland, abraçou-a, beijou-a, chorou e gritou. Então, alheia a multidão que se juntava, caiu desmaiada nos braços de um senhor indignado.

– Seu canalha! – exclamou ele, enquanto balançava sua bengala em direção à cabeça de Rowland, com seu braço livre.

– Nós pegamos você. Policial, leve este homem para a delegacia. Eu o acompanharei e prestarei a denúncia em nome de minha filha.

– Então ele roubou a criança, hein? – indagou o policial.

– Certamente – respondeu o velho cavalheiro enquanto, com a ajuda dos demais, carregava a inconsciente e jovem mãe para a carruagem. Todos eles entraram, inclusive a pequena Myra, que gritava por Rowland dos braços de uma das mulheres do grupo; e partiram.

– Venha comigo – ordenou o guarda, acertando seu prisioneiro na cabeça com o cacetete e levando-o, desacordado.

Então, enquanto uma multidão aprovava e aplaudia, o homem que lutara e vencera um urso polar foi arrastado pelas ruas como um animal, nos braços de um policial nova-iorquino. Tal é o estupidificante efeito de um ambiente civilizado.

CAPÍTULO 15

Na cidade de Nova York, há casas permeadas por uma atmosfera moral tão pura, tão elevada e tão sensível às vibrações da miséria e do delito humanos, que seus ocupantes são afastados completamente de toda reflexão, a não ser daquelas ligadas ao bem-estar espiritual da pobre humanidade. Nestes lares, os jornais sensacionalistas não entram. Nesta mesma cidade há juízes dignos, membros de clubes e sociedades que gastam as horas da madrugada, e frequentemente não acordam de manhã a tempo de ler os jornais antes que a corte abra.

Ainda em Nova York, há os editores, sempre rabugentos, com um discurso irritado e sem nenhuma consideração pelos sentimentos de seus subordinados ou orgulho profissional. Tais pessoas, quando um jornalista falha acidentalmente em entrevistar uma celebridade, mandam o pobre coitado às delegacias, onde as notícias impressas são escassas.

Na manhã seguinte à prisão de John Rowland, três repórteres enviados por três editores como estes apareceram no tribunal presidido por um dos juízes mencionados acima (que, por sinal, chegara atrasado). Na antessala desta corte, esfarrapado, desfigurado por uma surra e despenteado por sua noite na cela, estava Rowland, com outros desafortunados mais ou menos culpados por ofensas contra a sociedade.

Quando seu nome foi chamado, foi empurrado porta adentro, passando por um corredor de policiais enfileirados, cada um deles mostrando serviço ao dar seu próprio empurrão no julgado. Dentro da sala, um juiz de rosto severo e aparência cansada o encarou. Sentados no canto daquele mesmo lugar, estava o velho cavalheiro do dia anterior, a jovem mãe com a pequena Myra e várias outras damas, todas de comportamento irrequieto. Todas as mulheres presentes, exceto a mãe da garota, disparavam olhares venenosos ao acusado. A Sra. Selfridge, pálida e com os olhos fundos, tinha, no entanto, um rosto feliz, não permitindo que um olhar sequer repousasse sobre Rowland.

O policial que trouxera Rowland estava testemunhando, e afirmou que prendera o suspeito na Broadway quando este estava junto de uma criança, cujas ricas roupas atraíram sua atenção. Ruídos desdenhosos foram ouvidos de um canto, dos quais podiam identificar-se algumas palavras: – Muito ricos... A ideia... Impressões...

Em seguida, o Sr. Gaunt, a testemunha convocada pelo promotor, começou:

– Este homem, sua Excelência, já foi um cavalheiro e frequente visita em minha casa. Ele pediu a mão de minha filha, e como seu pedido não foi atendido, ameaçou vingar-se. Sim, senhor. E no meio do grande Atlântico, aonde seguiu minha filha disfarçado de marinheiro, ele tentou assassinar aquela criança, minha neta! Mas ele foi descoberto...

– Espere – interrompeu o juiz. – Limite seu testemunho ao delito presente.

– Sim, meritíssimo. E ao falhar, ele roubou-a ou a atraiu para fora de sua cama, e em menos de cinco minutos, o navio afundou, e ele deve ter escapado com a menina em...

– Você testemunhou isso?

– Eu não estava lá, meritíssimo. Mas nós temos a palavra do Primeiro Tenente, um cavalheiro que...

– Um minuto, senhor. Já basta. Senhor policial, este crime foi cometido em Nova York?

– Sim, meritíssimo. Eu mesmo o apanhei.

– De quem ele roubou a criança?

– Da moça sentada ali.

– Madame, você poderia dar seu depoimento?

Com a filha nos braços, a Sra. Selfridge fez o juramento, repetindo numa voz baixa e trêmula o que seu pai havia dito. Por ser mulher, o experiente juiz permitiu que ela contasse o ocorrido de sua própria maneira. Ao falar da tentativa de assassinato no convés, seus gestos e sua fala tornaram-se exaltados. Então ela contou sobre a promessa do Capitão de prender aquele homem se ela aceitasse testemunhar contra ele; contou como, consequentemente, ficou menos alerta e perdeu a menina logo antes do naufrágio; contou de seu resgate pelo galante Primeiro Tenente, sendo que este ainda afirmou ter visto a criança nos braços de Rowland, o único homem na Terra que poderia machucá-la; relatou sobre as últimas notícias acerca de um barco contendo marinheiros e crianças resgatados por uma embarcação mediterrânea; falou sobre os detetives enviados e seus relatórios sobre um homem que correspondia à descrição física de Rowland ter se recusado a entregar a criança ao Cônsul de Gibraltar, desaparecendo pouco depois com a menina; e contou enfim sobre sua alegria em descobrir que Myra estava viva, e seu desespero para vê-la novamente, até que a encontrou nos braços deste homem, na Broadway, no dia anterior. Neste ponto, a maternidade ultrajada foi mais forte do que ela. Com as bochechas vermelhas, os olhos brilhando de desprezo e raiva, ela apontou para Rowland e gritou:

– E ele mutilou e torturou a minha filha! Ela tem cortes profundos em suas costas, e o doutor disse, na noite passada, que eles foram feitos por um instrumento pontiagudo. E ele deve ter tentado distorcer a mente de minha pequena, ou a colocou em situações traumáticas, e ensinou-a a blasfemar terrivelmente! Pois na noite passada, quando eu li para ela a história de "Cachinhos Dourados e os três ursos", ela começou a gritar e chorar incontrolavelmente.

Neste momento, seu depoimento terminou em um colapso histérico, entre soluços que eram frequentemente uma repreensão para a criança não dizer aquela palavra feia, pois Myra avistara Rowland e começara a gritar seu apelido.– Que naufrágio foi esse; onde foi isso? - perguntava o confuso juiz a ninguém em particular.

– O *Titan*! – disseram meia dúzia de jornalistas espalhados pela sala.

– O *Titan* – repetiu o magistrado. – Então este crime foi cometido em alto mar sob a bandeira inglesa. Eu não consigo imaginar porque ele foi trazido até esta corte. Prisioneiro, você tem algo mais a dizer?

– Nada, meritíssimo – a resposta veio em uma espécie de soluço seco.

O magistrado examinou o homem de rosto pálido e em trapos, e disse ao secretário do tribunal:

– Mude esta acusação para "vadiagem"... hum...

O funcionário, instigado pelos repórteres, estava próximo ao juiz. Ele lhe entregou um jornal da manhã, apontou para certas letras garrafais na página e retirou-se. O julgamento cessou por um instante. Então, após ler o periódico, o magistrado olhou para Rowland e disse, bruscamente:

– Prisioneiro, solte sua manga esquerda.

Rowland obedeceu mecanicamente e a parte vazia de sua camiseta balançou ao seu lado. Percebendo isto, o juiz voltou a ler a publicação. Pouco depois, dobrou o papel e disse:

– Você é o homem que foi resgatado de um *iceberg*, não é?

O acusado balançou a cabeça afirmativamente.

– Inocente! – a palavra brotou em um rugido nada judicial. – Madame – adicionou o magistrado, com o olhar suave –, este homem simplesmente salvou a vida de sua filha. Se a senhora ler como ele a defendeu de um urso polar, duvido que a senhora volte a contar-lhe histórias de ursos. Instrumentos pontiagudos... humpf! – e este último termo também não foi nada judicial.

A Sra. Selfridge, com um olhar perplexo em seu rosto, deixou a corte com seu pai, indignado, e suas amigas, enquanto Myra gritava profanamente por Rowland, que caía nas mãos dos repórteres. Tentaram distraí-lo após o anúncio da sentença, mas ele não se distrairia; tampouco falaria. Ele se retirou e foi engolido pelo mundo do lado de fora. E quando os jornais noturnos foram publicados naquele mesmo dia, o ocorrido no tribunal era tudo que poderia ser acrescentado à história da manhã.

CAPÍTULO 16

Na manhã do dia seguinte, um marinheiro de um braço só encontrou um velho anzol e alguns pedaços de linha, e uniu um ao outro. Cavando a terra, encontrou algumas iscas e pescou um peixe. Como estava faminto e não tinha fogo, ele trocou o peixe por um prato de comida. Até que a noite caísse, ele havia pescado outros dois; um ele trocara e outro, vendera. Durante um mês inteiro, dormiu sob as docas para não pagar aluguel, pescou, trocou e vendeu, de modo a obter dinheiro o suficiente para um conjunto de roupas de segunda mão e os serviços de um barbeiro. Sua nova aparência induziu o chefe de um cargueiro a contratá-lo como contador de estoque, o que era mais lucrativo do que pescar e ele conseguiu, com o tempo, um chapéu, um par de sapatos e um casaco. Ele pôde, então, alugar um quarto e dormir em uma cama. Não demorou muito e conseguiu um emprego lidando com envelopes para uma companhia de correspondências, onde sua caligrafia fina e rápida garantiu-lhe um emprego permanente. Dali a alguns meses, pediu a seus empregadores para que endossassem sua inscrição no exame para o Serviço Civil. O favor foi concedido, e ele passou facilmente no teste. Trabalhando ainda com envelopes até ser chamado. Neste meio tempo, comprou roupas novas e melhores, e pareceu não ter dificuldade alguma em impressionar aqueles que encontrava com seu cavalheirismo. Dois anos após o exame, foi indicado para uma lucrativa posição do Governo e, ao sentar-se à mesa de seu escritório, fez a si mesmo a observação:

– Agora, John Rowland, o seu futuro é só seu. Você já sofreu demais no passado por dar muito valor às mulheres e ao uísque.

Mas ele estava errado, pois, seis meses depois, recebeu uma carta em que se lia o seguinte trecho:

Não pense que sou indiferente ou ingrata. Tenho observado à distância enquanto você lutava por seus antigos padrões. Você venceu, e estou feliz em te dar os parabéns. Mas Myra não vai me deixar em paz. Ela pergunta continuamente por você, chorando, por vezes. Eu não posso mais aguentar. Você não virá ver Myra?

E o homem foi vê-la... Myra.

Quando *Futility* virou Futilidade

Posfácio de Carlos Daniel S. Vieira

Quando os editores da coleção *O Melhor de Cada Tempo* me perguntaram se eu tinha interesse em traduzir um livro sobre um navio gigantesco, que era tido como indestrutível, mas que naufragara tragicamente ao bater em um *iceberg*, perguntei-lhes, irônico, se não sabiam que essa história era verídica e que havia sido transformada em filme pelo diretor James Cameron. Explicaram, então, que o livro não contava a história do *Titanic* e, sim, de um outro navio chamado *Titan*. Pensei, a princípio, que a tragédia dera origem a um livro, qual não foi, pois, minha surpresa ao saber que o livro que eu viria a traduzir havia sido escrito catorze anos antes do *Titanic* existir!

Seria possível? Descobri que sim, após pesquisar brevemente sobre Morgan Robertson e sobre *Futility, or The Wreck of the Titan*, cuja edição em português está agora em suas mãos. E, se você conferiu o nome na capa, vai ver que aceitei a missão. Mais do que isso: arrisco-me a dizer que o *Titan* foi meu grande companheiro naqueles meses, uma obra de leitura agradável, compreensão desafiadora e tradução dificílima. Em suma, uma pérola para um tradutor e crítico literário.

Uma Leitura Agradável

Morgan Robertson escreve como um marinheiro do *Titan*: a narrativa é de uma velocidade alta e o tom é de quem conhece o ambiente náutico. O excesso de termos específicos e a alternação entre descrições precisas e ações rápidas não demora a cativar o leitor (espero eu, tanto quanto cativou este tradutor). Personagens como a meiga e pequena Myra, sua nervosa mãe ou o anti-herói e protagonista John Rowland formam-se diante do leitor com uma precisão possível apenas pelo trabalho conciso de Robertson.

E se chamo o protagonista desta obra de anti-herói, peço que isso não sirva de forma alguma para inferiorizar seu carisma com o leitor. De fato, parece que somos especialmente atingidos por estes seres que, sem possuírem as virtudes idealizadas de um "mocinho" romântico, provam seu valor à sua própria maneira. A personalidade estereotipada que já conhecemos dos clichês não lhes cabe, tornando-os dignos de um adjetivo: originais.

Rowland, por exemplo, mostra-se beberrão e obsessivo, sobretudo pela vida que não conseguiu alcançar com Myra. Compensa tudo isto, no entanto, com dois atributos que o tornam digno de um final feliz: sua dedicação incansável ao trabalho e seu senso incorruptível de certo e errado. A pequena Myra parece notar isto logo a princípio, razão pela qual busca aproximar-se deste dedicado marinheiro, desde que o nota.

Percebe-se, desta forma, que o naufrágio do *Titan* torna-se um importante pano de fundo para uma trama maior a ser destacada: o relacionamento de Rowland com as duas Myras e (ora, por que não?) consigo mesmo. Afinal, antes de resolver seus problemas com o passado, o protagonista luta com seus próprios conceitos de fé, honra, verdade, entre outros. E tudo isto para deleite de nossa leitura.

Uma compreensão desafiadora

Quando escreveu sua obra-prima, aos seus 37 anos, Robertson construiu muito mais do que uma aventura. Construiu uma descrição que viria a tornar-se bastante real dali há 14 anos; projetou um navio cuja caracterização carrega a grandiosidade de um deus; arquitetou um romance cuja temática universalizante seria sempre atual; e, enfim, desenvolveu uma saga para delinear artisticamente a crise histórica e ideológica pela qual passava o pensamento religioso no tempo do autor.

E é a ***forma*** de narrar que faz isto. O narrador de *Futilidade* faz questão de descrever o navio (e tudo o que se relaciona com ele) de forma bastante precisa e exagerada. Hipérboles e quantificações dançam pela página:

> Era o mais largo navio já criado, e o mais estupendo dentre os trabalhos do homem. Em sua construção e

manutenção, estavam envolvidos cada cientista, profissional e comerciante conhecidos pela humanidade. [...] Da plataforma, da Sala de Máquinas e de outra dúzia de lugares do convés, as noventa e duas comportas dos dezenove compartimentos de contenção de água poderiam ser fechadas com o simples virar de uma alavanca. Essas mesmas comportas fechar-se-iam automaticamente na presença de água. Com nove compartimentos inundados, o navio ainda flutuaria – e como nenhum acidente marítimo conhecido poderia ocasionar isto, o *Titan* era considerado uma embarcação a vapor inafundável. (Capítulo 1).

Cada numeral surge aqui com a função de espantar o leitor perante a grandiosidade do *Titan*, ou das enormes massas de trabalhadores envolvidas em sua construção e comando. O navio aqui não é apenas antropomorfizado, ou seja, não toma apenas a forma de um homem; assume, na verdade, a plenipotência de um deus: é individual, inigualável, grandioso, solene, invencível.

Mas nota-se também que todos os profissionais estavam envolvidos em seu projeto. Isso significa que toda a raça humana construiu o *Titan*, uma vez que este foi tornado mais do que mera embarcação de aço. Ele é, agora, uma alegoria da futilidade humana. O título primeiro da obra designa, então, o vício que desencadeou a própria construção do navio. E a futilidade não cessa aí: aparece também no treinamento dos bombeiros, que se tornam mero entretenimento; desponta nas bandas colocadas para ocupar cada tempo livre dos passageiros;

etc. Em última instância, é a futilidade que leva o Capitão a acelerar o *Titan* além dos limites do prudentemente seguro, em meio à escuridão da noite e à inconstância da neblina.

Desta forma, a própria futilidade é uma questão humana colocada em jogo. E, ao lado dela, temos o amor irrealizado, o alcoolismo, a cobiça, a dúvida moral e a loucura. Estes pontos, eternos vetores da Literatura, tornam a obra atual e interessante a praticamente qualquer público. Daí podermos chamá-la de Universal.

Entretanto, não podemos ignorar a localização física e temporal específicas de uma obra. No caso do livro de Morgan Robertson, estamos falando dos Estados Unidos do final do século XIX. O mundo, marcado pela Revolução Industrial, enchia-se de novos e velozes meios de transporte. A máquina a vapor aparecia nas cidades, que cresciam cada vez mais, e em seus lucrativos portos. Na Literatura, o movimento romântico dá vez ao Realismo, justificando ao público, por exemplo, um anti-herói como John Rowland.

Trata-se, é claro, de um momento em que o homem se torna mais cínico e observador. E, neste meio, como fica sua relação com Deus? Questionadora, duvidosa e, em última medida, agressiva. Basta ver então o monólogo de Rowland durante sua embriaguez para notar que este personagem representa o próprio homem deste período, temerário de que a fé dominante até a metade do século estivesse errada. A visão divinizada recai então não sobre o Deus cristão. E tampouco se colocará a descrever os homens, estes seres que parecem tão pequenos diante dos avanços tecnológicos. O único elemento endeusado é – como cabe a uma narrativa deste momento histórico – o navio.

Uma Tradução Dificílima

Creio que, em qualquer tradução, o maior desafio é o de manter a fidelidade à obra original e, ao mesmo tempo, tornar o texto natural ao leitor de língua portuguesa. O trabalho do tradutor fica então sobre esta tênue gangorra. E, como tudo o mais neste livro, a gangorra encontrava-se em alto-mar.

Brinco, claro, pois a grande maioria dos termos de difícil tradução não se referia a regionalismos. Diziam respeito, sim, ao universo náutico. Isso significa que, ainda para os leitores nativos do inglês daquela época, havia uma série de palavras e expressões de significado específico e técnico. Como tornar, então, familiar ao leitor nacional algo que não era sequer habitual ao público da época?

Nesta difícil tarefa, optei por trazer ao universo náutico nacional aquilo que pertencia ao mundo marítimo de língua inglesa. As unidades de medida passaram então ao sistema utilizado no Brasil (feitos os devidos cálculos, já apresentados ao leitor); as partes do navio adquiriram seus equivalentes em português; os cargos de comando do navio foram renomeados para aqueles referentes à marinha de nosso exército; entre outras tantas adaptações que poderia aqui nomear.

Logicamente, nem tudo poderia ser "nacionalizado", como nomes de locais e instituições. Porém, mantê-los puramente originais seria uma falta de consideração para com você, leitor. Afinal, não era esperado do leitor brasileiro o conhecimento do que seria um passadiço, um cesto da gávea, um paquete, quanto vale um nó ou onde ficam Sandy Hook e Daunt's Rock. E isso tudo apenas no primeiro capítulo.

Nestes casos, manteve-se a fidelidade ao documento original, enquanto o emprego de notas traz as informações necessárias ao leitor de língua portuguesa. Note-se que esta trabalhosa escolha deposita um voto de confiança no leitor, que adquire então repertório de uma língua estrangeira, enquanto pode também perceber as nuances de tradução e as riquezas da obra original de Morgan Robertson.

Enfim, resta apenas salientar que cada termo foi repensado nesta tradução. Afinal, como já deve estar claro, nada neste livro está por acaso – as descrições, as enumerações, os diálogos, e todo o resto. Até mesmo a semelhança de nomes entre Myra e sua filha (que inicialmente poderia confundir o leitor) demonstra ser um inteligente artifício do autor, indispensável para o final da obra. Final este, diga-se de passagem, de contornos tão misteriosos e impalpáveis quanto a neblina que outrora cercara o *Titan*.

Carlos Daniel S. Vieira é professor e tradutor formado em Letras (Português e Inglês) pela Universidade de São Paulo - USP. Aficionado por literatura desde sempre, ama ler e escrever, e busca passar esse gosto para seus alunos.

O MELHOR DE CADA TEMPO

Este livro foi impresso em Abril de 2014, em papel pólen soft 80g
em tipologia Adobe Caslon Pro, corpo 11,5.

VERMELHO MARINHO